광주문화재단 누정총서 7

풍영정

글 박성천
현판 번역 김대현

광주문화재단 누정총서 7

풍영정

글 박성천
현판 번역 김대현

심미안

지혜의 보고, 누정여행 길잡이

16세기를 전후해 남도에는 누정이 활발하게 건립되었습니다. 중앙 관료를 지내다 낙향한 선비들이 경관이 뛰어난 곳에 정자와 원림을 조성하여 후학을 양성하였고, 세속의 명리를 탐하지 않고 은둔의 삶을 영위하고자 누정을 건립하기도 했습니다. 강학과 교유, 은일의 공간이었던 누정은 지역공동체의 대소사를 결정하는 집회소이자 공동체 규약을 실천하는 장으로도 활용되었습니다.

그러므로 누정의 건립자가 누구인지, 어떤 사람들이 교류했는지, 무슨 활동이 이뤄졌는지에 대한 연구는 당대의 시대정신과 지역문화사를 밝히는 매우 중요한 작업이라 할 수 있겠습니다.

지난해 광주문화재단은 누정총서 6권을 발간하였습니다. 일동삼승(一洞三勝)이라 불리는 소쇄원, 식영정, 환벽당을 비롯하여 독수정, 명옥헌, 면앙정, 취가정, 풍암정, 송강정이 그것입니다. 이번에는 풍영정, 호가정, 만귀정, 부용정, 양과동정, 양파정, 춘설헌 7곳의 누정을 4권으로 엮었습니다. 지난해에 무등산 자락의 원림과 누정을 다루었다면, 올해는 영산강 자락의 누정과 근대 이후 누정을 새롭게 추가한 것이 특징입니다.

영산강은 호남평야를 비옥하게 살찌우는 젖줄이었고, 내륙 깊숙이 문물을 운송하는 교역의 통로였습니다. 풍영정, 호가정, 만귀정

등의 누정은 바로 영산강 문화권에 자리하고 있습니다. 명필 한석봉이 '제일호산(第一湖山)'이라고 부른 풍영정, 명리를 탐하지 않고 산수 간에 들어 호연(浩然)의 노래를 부른 호가정, 늘그막에 전원으로 돌아가 풍류를 즐긴 만귀정. 특히 부용정과 양과동정은 조선 시대 처음으로 향약이 시작되었고, 지금도 그 명맥을 이어오고 있는 곳입니다. 춘설헌과 양파정은 근대 광주의 정신과 문화가 살아 있는 귀중한 유산입니다.

배낭 하나 메고 훌쩍 떠나는 여행길에서 즐겁게 몸과 마음을 풍요롭게 할 만한 누정 길잡이 책. 이번 총서도 쉽고 재미있습니다. 의미도 깊습니다. 필진으로 참여한 전문 연구자들이 일반 독자들을 배려한 애정이 곳곳에서 빛을 발합니다. 좀 더 관심 있는 독자를 위해 누정 현판의 원문과 번역도 함께 실었습니다. 다양한 각도와 때를 달리한 사진들은 텍스트와는 또 다른 책 읽는 즐거움을 선사할 것입니다.

우리는 이 책들이 광주의 누정과 원림을 찾는 여행객들의 사랑을 듬뿍 받기를 소원합니다. 삶의 의미를 되새기고 마음의 정화를 얻어가는 지혜의 여행길에 일조하는 안내서가 되길 바랍니다.

그동안 누정총서 발간에 애쓰신 분들의 노고에 깊은 감사를 드립니다.

2019년 11월

광주문화재단 대표이사 김윤기

차례

빼어난 후손 김중엽과 『강호만영』

풍영정風詠亭

1
풍영정을 만나다

그 정자는 거기에 있었다. 풍영정(風詠亭) 너머로 영산강의 보드
라운 물줄기가 보인다. 새꼬막처럼 다소곳이 앉은 누정의 자태. 한
마리 수줍은 새처럼 외로운 누정은, 그러나 자유롭다. 세월을 비켜
간 듯 무심하고 허허로운 자리마다 푸르름이 완연하다.

광주광역시 문화재자료 제4호
정자는 모든 것을 품고 있다. 바람이 불면 부는 대로, 비가 오면
비가 들이치는 대로, 눈발이 휘날리면 휘날리는 대로 그렇게 세상
의 시간을 흘려보낸다. 이따금씩 휘돌아가는 강의 잔물결 소리도
듣고, 물새가 들려주는 세상 밖의 이야기도 듣는다.
풍영정은 김언거(金彦琚, 1503~1584)가 지은 정자로 광주광역
시 문화재자료 제4호로 지정돼 있다. 광주광역시 광산구 신가동에
있는 이 누정은, 앞으로는 극락강이, 뒤로는 선창산이 자리한다.
지리적으로는 광주의 끝자락이면서 장성과 나주가 가까워 예로부

터 사람들의 왕래가 잦았다.

사람들은 풍영정 인근의 강줄기를 극락강(極樂江)이라고 부른다. 영산강의 한 구간인데 이십 리 안팎이다. 정확히는 영산강과 황룡강이 분기되는 지점부터 광주천이 갈리는 인근까지이다. 광산구 신가동과 신창동, 운남동 일대가 이 강변과 맞닿아 있다.

16세기를 전후해 남도에는 누정이 활발하게 건립된다. 중앙 관료를 지내다 낙향한 선비들은 정자를 짓고 소요하며 후학을 양성했다. 대체로 조선 초에서 중기에 이르는 무렵이다. 경관이 뛰어난 곳에 정자를 짓거나 원림을 조성해 시인묵객들과 교유하는 풍습이 일반화된 것이다.

홍문관교리를 거쳐 승문원판교를 역임했던 김언거의 담박한 성정, 학문에 대한 열정, 풍류와 시문에 대한 감성을 엿볼 수 있는 곳이다. 하서(河西) 김인후(1510~1560), 퇴계(退溪) 이황(1501~1570), 남명(南溟) 조식(1501~1572) 등 이곳에 시문을 남긴 이들의 면면만 봐도 풍영정의 위상이 어떠했는지를 가늠할 수 있다.

정자 너머로 강 너머의 풍경이 들어온다. 한여름 하오의 뜨거운 햇발이 수직으로 낙하한다. 몸피가 마른 강줄기 위로 햇살이 떨어진다. 장렬한 투과! 해는 수면을 비추며 서서히 저편으로 넘어간다. 노을은 강물과 마지막 접신을 하는 것으로 오늘의 수명을 다한다. 정자에서 바라보는, 붉게 물들인 강의 풍경은 한 폭의 수채화다. 수식어가 필요 없는, 어떠한 수사도 무력화시키는 극미(極美)의 세계다. 모든 것을 쏟아붓고 서산으로 이울어 가는 해는 우리네 삶을 닮아 있다. 정열의 한때도 지나가고, 젊음의 시간도 풀처럼 시들고 스러지기 마련이다. 세상의 수다한 일에 일희일비(一喜一悲)하지 말아야 할 것은 피는 때가 있으면 지는 철이 있기 때문이다.

극락강변 산언덕배기에 자리한 풍영정

필자는 한때 풍영정을 찾곤 했다. 풍영정뿐 아니라 남도의 크고 작은 정자를 찾아다녔다. 아마도 마음을 내려놓는 시간이었을 것이다. 그 무렵 필자는 방외인이었다. 어느 곳에도 소속돼 있지 않은, 어느 곳에도 이름 자 하나 걸 수 없는 시절이었다. 세상이 막막하여 마음을 둘 곳 없었고 밥벌이의 혹독함을 외로움과 근기(根氣)로 버텨내야 했던 시간이었다. 구름처럼 흘러가고, 바람처럼 떠돌아야 했기에, 잠시 세상 밖으로 난 산자락을 돌곤 했다. 그때마다 초야(草野) 산언덕배기에 살포시 들어앉은 정자는 무거운 마음을 의탁할 수 있는 오랜 벗으로 다가왔다.

풍영정을 찾을 때면 강에서 불어오는 맑은 바람을 호흡했다. 귓가를 씻겨주는 바람은 더없이 상쾌했다. 실타래처럼 얽힌 생각들이 풀어지며 산수와 하나 되는 감흥을 맛보곤 했다. 세상의 번다한 소리를 물리친 자리에 들어서는 자연의 화음, 마음 둘 곳 없어 허랑했던 심회를 위무하는 부드러운 속삭임은 강호가 연출하는 천혜의 음율이었다. 버드나무 줄기처럼 낭창하게 풀어지며 에둘러 나아가는 물살의 흔들거림은 조금의 탐욕도 허하지 않았다.

마음이 쓸쓸하거나 다친 이들이 산자수명을 찾아가는 이유를 이

산언덕배기에 살포시 들어앉은 정자는 무거운 마음을 의탁할 수 있는 오랜 벗으로 다가왔다.

곳에 오면 알 것도 같다. 그러므로 비움의, 빈자의 사유를 얻으려면 누정에 들 일이다. 소요하며 침묵할 일이다. 세상 사람들의 안목이라는 허랑한 잣대는 놓아두어야 한다. 본래 자신의 소탈한 모습으로 들어야 풍영정의 정취와 선조들의 지혜를 느낄 수 있다.

필자는 오가며 정자 앞을 스치곤 하는데, 사계의 변화하는 모습을 일별하듯 보곤 한다. 맞춤한 산자락에 정자를 지은 이의 마음을 헤아리거나, 머릿속 지도를 그려 시시때때로 변하는 주위를 완상하기도 한다. 어느 날엔 하릴없이 정자 저편 너머로 무심히 흘러가는 영산강 줄기를 바라보기도 하는데, 이편에서 보는 것이지만 사실은 저편의 자연이 이편의 시선으로 들어온 것일 게다.

또 어느 날엔 이곳의 흥취만이 아니라 강 언덕에 정자를 지은 이의 사유의 단면을 읽으려고도 하였다. 풍영이라는 이름을 짓고 다사로운 품에 안기려 했던 이의 맑은 성정을 말이다. 풀리지 않는 문제를 물살에 풀어두듯 저만치 흘려보내기도 하였다. 그러다 보면 오늘의 삶을 어떻게 직조해야 하는지 생각의 서슬에 빛이 들이칠 때도 있었다.

인간이 이룩한 것들은 시간이 지나면 퇴색하기 마련이다. 현재라는 즉시의 시간에만 초점을 맞추기 때문인데, 긴 호흡으로 여일한 가치를 되새기기가 간단치 않다. 그럼에도 풍경의 가치와 정신을 함께하는 것들은 시간이 지나도 영속성을 지니는 특징이 있다. 그것에는 문화와 전통, 자연과 교유했던 이들의 실다운 사유와 사상이 응결돼 있기 때문이다. 변하되 변하지 않는 사유의 품격과 물욕을 벗어 버린 소탈함은 생명력을 보증한다.

그러기에 이 누정은 안과 밖을 모두 소요해 본 이들에게는 지상의 낙원으로 다가온다. 시단(詩壇)의 폭과 깊이가, 이곳의 풍경과 철학과 연하여 특유의 기품과 은미(隱微)를 선사한다. 은일함 속에도 현인과 시인묵객들의 절창은 그렇게 빛난다.

2
관련 인물과 건립배경

　풍영정은 언제 지어졌을까. 정자를 건립한 김언거는 어떤 사람이었을까. 정자를 지은 김언거와 건립 연대를 알기에 앞서 흥미로운 사실에 접하게 된다. '풍영정'과 김언거의 호 '칠계(漆溪)'의 교합이 그것이다.

'풍영정'과 김언거의 호 '칠계(漆溪)'
　풍영정이라는 말도 더없이 좋다. 3음절에 자음 'ㅇ'이 세 개 들어 있어 한 번 발음할 때마다 입안에서 특유의 운율이 느껴진다. 허공 가득 둥그런 달이 떠 있는 느낌을 환기하거나, 맑은 물살이 동그랗게 휘돌아가는 지점이 떠올려지기도 한다. 그저 가만히 소리 내어 읊기만 해도 머릿속에 유하고 푸른 다복의 이미지가 그려진다.
　그 뜻은 미명(美名)의 이름만큼이나 고졸하고 미려하다. 원래 풍영(風詠)은 "자연을 즐기며 시가를 읊조린다."는 뜻으로 『논어』 「선진(先進)」편에서 유래한다. 전해 오는 이야기는 이렇다.

공자가 제자들에게 바라는 바를 물었던 모양이다. 거문고를 타던 증점이라는 제자가 이에 답한다. "맑은 기수(沂水)에서 목욕하고 무우(舞雩)에서 바람을 쐬며 시가를 읊조리다 오고 싶습니다." 바로 '풍우영귀(風雩詠歸)', 자연을 즐기며 시가를 읊조린다는 의미다. 공자는 유유자적한 증점의 삶의 태도에 탄복한다.

권불십년에 지나지 않는, 한 줌도 안 되는 권력을 쥐고 모함과 모반이 상시로 성하는 정치놀음에서 벗어나, 자애와 신록이 종요로운 곳에서 바람이나 쐬며 시가를 짓겠다는 제자의 말에 무릎을 치지 않을 스승이 어디 있을까. 청출어람에 버금가는 답이었다. 권력의 속성을 꿰뚫는, 너머의 '불우의 그림자'를 상정할 줄 아는 현답이었던 것이다.

시(詩)와 가(歌)를 즐기는 공간에 풍경까지 더하니, 소소한 즐거움은 무릉의 여흥을 넘는다. 본디 시와 가는 한 가지에서 태동하였다. 수려한 시어에 곡을 붙이면 운율의 노래가 피어나는데, 창랑한 물살에 나뭇잎까지 고아한 춤으로 합일을 한다면 신선의 놀이 그 자체였으리라.

잠시, 김언거의 14대손인 김양중(金良中)의 글에서 누정의 역사와 풍광을 떠올려 본다. 조상의 문예와 심미안이 중첩돼 있어 오래 음미하는 맛이 있다.

풍영정에서 바라보이는 경관(景觀)은 동으로는 무등(無等) 영봉(靈峯), 남으론 금성산(錦城山), 백리(百里) 밖엔 소금강(小金剛)이

라 불리는 월출산(月出山)이 바라보이고 북녘 담양 용추산에서 발
원(發源)하여 청정(淸淨) 무휴(無休)로 흐르는 칠천(漆川, 극락강)
이 풍영정 절벽 기슭을 휘감고 돌아 앞으로 십여리(十餘里)에 펼쳐
진 백사장과 모래톱, 버드나무 숲 광활(廣闊)한 들녘인데 정자에
앉아 이 경관(景觀)을 굽어보고 있으면 정자가 마치 강심(江心)에
떠 있는 듯한 느낌이 들어 정자를 에워싼 이 같은 산천의 절경(絶
景)을 보고 희대(稀代)의 명필(名筆) 한석봉(韓石峯)이 찬탄(讚嘆)
하면서 제일호산(第一湖山)이라 휘호(揮毫)하여 그 현판(懸板)이
오늘에 전해 온 사실로도 넉넉히 짐작하고 남음이 있다.

— 14대손 김양중, 「간행사」, 『풍영정시선(風詠亭詩選)』

언급했던 대로 풍영(風詠)은 "자연을 즐기며 시가를 읊조린다."
는 뜻이다. 칠계는 옻나무 '칠'과 시냇물 '계'의 합성어다. 칠계는 예
로부터 극락강을 이름하였다. 강 인근에 옻나무가 많이 났다는 것
을 알 수 있다. 1879년 광주지도에 이곳의 지명이 칠천(漆川)이라
고 표기된 것을 봐도 짐작할 수 있다.

지난 1992년부터 10여 차례 진행된 광주신창동유적 발굴과정에
서 칠그릇과 목기 등이 다량으로 발굴됐다. 신창동은 신가동과 인
접한 지역으로 고대시대 유물이 많이 출토된 지역이다. 신창동과
신가동 앞으로 흐르는 영산강(옛 지명 극락강)이 유서 깊은 남도의
강인 것은 그 때문이다.

아마도 김언거의 호가 '칠계(漆溪)'인 것은 고향에 대한 애착에서

정자에 앉아 경관을 즐기면 마치 강심에 떠 있는 듯한 느낌이 든다.

기인했을 것이다. 옻나무가 있는 시냇가의 풍경은 어떠했을지 그려 본다. 비단 그것이 옻나무가 아니어도 강가에는 다양한 수종의 나무들이 강물에 연하여 긴 머리를 풀고 있었으리라. 흐르는 냇물에 비치는 영상은 자연이 직조하는 순간의 예술이자 가장 원초적인 텍스트다. 그것의 풍경이 김언거의 내면에 생래적으로 각인돼 있었을 것이다. 강과 인접하지 않았다면, '풍영'이라는 절묘한 어휘를 누정의 이름으로 명명했을까.

그러므로 신토불이는 농산물에만 한정되지 않는다. 우리의 몸과 토질은 따로 분리될 수 없다. 어느 토질의 기운을 받았느냐에 따라 사람의 기질과 성정도 달라진다. 뭍에서 태어난 이와 섬에서 나고 자란 이가 다르고, 첩첩산중을 태 자리로 둔 이의 천품이 너른 들판을 고향으로 둔 사람의 그것과 다르다.

벼슬에서 물러나 고향에 풍영정을 짓고

칠계라 호를 짓고, 풍영정이라 명명한 김언거의 심미안은 그래서 뛰어나다. 그의 미적 지향이 오늘의 풍영정의 위상과 품위를 지지하고 견인했다고 볼 수 있다. 잠시 그의 출생부터 출사, 그리고 퇴임에 이르는 삶의 역사를 가늠해 보자.

김언거(1503~1584)의 자는 계진(季珍)이고, 호는 칠계(漆溪)·풍영(風詠)·관포당(灌圃堂)이며, 본관은 광산이다. 김태현(金台鉉)의 후손이며, 의주교수인 김정(金禎)과 임숙정(林叔亭)의 딸 사이에서

셋째 아들로, 광주의 마지면(馬池面) 선창리(仙滄里, 현재의 풍영
정이 있는 곳)에서 태어났다. 중종 20년(1525년)에 진사시에 합격
하고, 1531년에 문과에 합격하여, 1532년에 예조좌랑 및 정언에 제
수되었다. 1542년에 낭관을 지내다 체직되었으며, 1545년에 금산
군수에서 사헌부 장령이 되었고, 1546년에는 상주목사가 되었다.
1550년에는 통정으로 승진되었고, 그 이듬해에 응교가 되었으며,
1552년에는 헌납이 되었고, 1553년에 연안부사를 역임할 때는 시
폐소를 올린 적이 있으며, 1555년에 홍문관교리가 되었고, 1557년
에 승문원판교에 올랐으며, 1560년에 퇴임하였다.[1]

　　퇴임 후 그는 고향으로 낙향한다. 광주군 마지면 선창리, 지금의
풍영정이 있는 곳이다. 선창리(仙滄里)라는 말은 다분히 시적이다.
신선이 노니는 푸른 강이라는 의미다. 차가운 강, 찰랑이는 강물에
신선이 유유자적하며 풍월을 읊는 모습은 동양화의 진경을 떠올리
게 한다.
　　58세에 공직에서 물러난 칠계는 만년을 고향에서 소요하며 지냈
다. 향년 82세로 눈을 감아 강이 바라보이는 선창산의 언덕에 묻
혔다. 오늘로 치면 남자들의 평균 수명 정도지만, 당시에는 천수
를 누린 생애였다. 칠계는 그렇게 고향 산천을 벗 삼아 시문을 짓

1 『광산김씨녹사공파보』 권6; 『명종실록』; 『국조방목』 참조; 권수용, 「광주 풍영정(風詠
　亭)의 문화사적 의의」, 『정신문화연구』(2009년 가을호, 제32권 제3호 통권 116호), 83
　~84쪽.

풍영정은 미명의 이름만큼이나 고졸하고 미려하다

"자연을 즐기며 시가를 읊조리다."

'시'와 '가'를 즐기는 공간에 풍경까지 더하니,

소소한 즐거움은 무릉의 여흥을 넘는다.

고 풍류를 즐기며 도인 같은 삶을 살았다. 그의 걸음 옆에는 칠천
의 푸른 강물이 늘 찰랑거렸을 것이다. '인자(仁者) 요산(樂山)이
요, 지자(智者)는 요수(樂水)'라 했던가. 어진 사람은 산을 좋아하
고 지혜로운 사람은 물을 좋아한다는 말처럼 김언거는 물과 산을
가까이했다. 그는 산수를 동반자처럼 여겼다. 그와 관련된 어휘들
이 모두 수려한 자연과 아름다운 풍광과 관련돼 있는 것만 봐도 알
수 있다.

제현들과 교유하며 시문을 짓다

다시 한 번 14대손 김양중이 『풍영정시선(風詠亭詩選)』의 간행사
에서 했던 말을 떠올려 본다. 그는 풍영정의 인문과 역사, 문우들
의 도타운 우정과 예술의 일면을 조감한다.

산수와 인물은 하나로 인연(因緣)되는 것, 풍영정 주인이신 칠
계 조(漆溪 祖) 또한 고매(高邁)한 인품과 출중(出衆)한 시재(詩才),
박학다식(博學多識)으로 일세(一世)를 풍미(風靡)하던 터라 풍영정
은 자연과 시를 아끼고 사랑한 명인(名人)들이 회동(會同)하기를 소
원(所願)하던 곳이었기에 당대(當代)의 쟁쟁한 문인(文人) 석학(碩
學) 김하서(金河西), 이퇴계(李退溪), 조남명(曹南冥), 송면앙(宋俛
仰), 임석천(林石川), 기고봉(奇高峰), 정송강(鄭松江)을 비롯한 제
현(諸賢)들이 주옥(珠玉) 같은 시(詩)를 이곳 풍영정에서 자주 창수
(唱酬)하였고 그 뒤로도 유풍(遺風)이 남아서 거성(距星)들이 풍영

정에서 창작(創作)한 시편들 중 편액(扁額)으로 만들어진 것이 한 때는 일백오십(一百五十)여 판이었다고 전해지고 있는데 사백오십(四百五十)여 년의 풍상(風霜) 속에서 민란(民亂) 병란(兵亂) 혹은 정치적(政治的) 변혁을 겪으면서 적지 않게 망실(亡失)되었고 창건(創建) 당시(當時)에 서각(書刻)된 것으로 추정(推定)되는 김하서(金河西), 이퇴계(李退溪), 임석천(林石川)의 십영시(十詠詩)와 송규암(宋圭庵)의 제영(題詠)을 비롯한 이십여 편(二十餘篇), 그리고 그 후로 계속 판각(板刻)되어 걸린 칠십(七十)여 판의 편액이 오늘에 전해지고 있으니 과시(果是) 정자문화(亭子文化)의 보고(寶庫)라 할 만하다.

누정은 그 자체로도 고상한 미를 발하지만, 누가 주인인가에 따라서도 그것의 자장이 미치는 여파는 지대하다. 위에 언급한 대로 김언거와 교유했던 인물들은 당대 최고의 문사들이다. 시재가 뛰어난 문인들과 글을 매개로 나눈 우정은 깊고 각별하다. 돈과 재력, 지위가 아닌 문을 토대로 시정을 나누고 학문을 논하는 것이니 무엇에도 비할 바 아니다.

그런데 실록에는 칠계에 대한 평판이 얼핏 부정적인 면도 나온다. 세상에 완벽한 사람이 없는 이상 누구든 좋은 말만 들을 수는 없다. 그에 대한 일부의 평가도 그렇다.

『왕조실록』에는 이러한 내용이 나온다. 그가 명종대에 벼슬을 하면서 윤원형 일파와 가까웠던 모양이다. 사림을 모함한다든지 인

망이 없다는 등으로 질타를 받은 내용이 일부 나온다.[2]

그가 당시의 권귀에 의해서 청현(淸顯)의 관직을 얻은 것이 물의
를 일으킨 것이다. 그러나 당대의 유명한 사람들과의 돈독한 시교
(詩交)가 있던 것으로 보아 그 관점은 편협된 듯하다. 그가 교유한
사람들은 훈구척신들도 많지만 사림들이 대부분이다. 이러한 가운
데 그는 번잡한 관직 생활보다 고향에 꾸며놓은 원림으로 돌아가
한가하게 살고자 하는 마음이 간절했을지도 모른다. 그렇기 때문에
다른 사람들이 풍영정에 대해서 읊은 시 속에 고향에 돌아와 한가
하게 살고 있는 김언거를 사모하는 내용이 들어 있는 경우가 많다.[3]

김언거의 내면에는 언제든 칠계가 보이는 선창리로 돌아가고 싶
은 생각이 자리했다. "관직 생활보다 고향에 꾸며놓은 원림으로 돌
아가 한가하게 살고자 하는 마음"은 태생적으로 권력 지향보다는
자연 순응에 가까웠음을 보여준다. 그는 결코 야심가가 아니었다.
그는 이전투구가 벌어지는 권력 다툼의 틈바구니에 있기를 원치
않았다. 반목과 질시, 모함과 모반이 수시로 출몰하는 구중궁궐의
생태와는 거리를 두고 싶었다. 그보다 그는 자연의 생리를 추구하
였다. 순리를 따르는, 천명의 삶을 희원했던 것이다.

---

2 『명종실록』, 명종 7년 2월 14일; 명종 10년 11월 18일; 명종 15년 11월 16일.
3 『칠계유집(漆溪遺集)』, 목사 이정운(李鼎運, 1743~1800)이 지은 「풍영정 발(跋)」(1793
년), 288쪽.

일제강점기 파괴된 기암절벽과 오언시

풍영정은 1560년에 건립된 것으로 보인다. 김언거 퇴임 직후나 이후의 가까운 시기와 맞물린다. 정확한 연대와 일시는 알 수 없으나 2007년 간행된 『풍영정시선(諷詠亭詩選)』에 기록된 풍영정 연혁을 통해서 짐작할 수 있다. 이 기록에 따르면 풍영정은 1560년에 지어졌다. 이후 1799년 동향인 정자를 남향으로 중수했으며, 그로부터 1백 년 후인 1898년에도 중수를 했다.

풍영정 주위의 풍경도 시대적 상황과 맞물려 다소 변화를 맞게된다. 1922년 송정리와 광주 간 철도가 놓이면서 당시 극락강 철교 교대(橋臺)를 축조하기 위해 정자 동편 기암절벽을 파괴하기에 이른다. 그로 인해 절벽에 새겨져 있던 오언시(五言詩)가 멸실되는 안타까운 일이 벌어졌다. 꽃처럼 아름다웠던 시문의 글귀는 허공으로 스러지거나 물속으로 분분히 낙화되는 운명을 맞아야 했던 것이다.

우뚝 솟은 바위 샘 줄기로 옮겨와	矗石移泉脉	崔公
시내를 나누어 폭포처럼 흐른다	分溪作瀑流	漆溪
벼랑에 글을 새겨 뛰어난 자취 남기니	磨崖留勝跡	楊公
취흥으로 쓴 글씨 천추에 빛나리	醉墨暎千秋	任公

위의 시는 목사(牧使) 최응룡, 반자(半刺) 양사기, 수찬(修撰) 임숙영, 칠계 김언거가 한 구절씩 읊은 것이다. 언급한 대로 동편 절

벽에 새겼지만, 일제강점기에 철교 교대를 쌓으면서 소실되고 말았다.

문명과의 교섭은 필경 전이와 변모를 가져온다. 문명은 시간을 단축시키고, 공간을 끌어당긴다. 시멘트와 철근, 토목이 빚어낸 역학은 활동 무대를 무한대로 변주하고 확장하는 기제다. 발전은 속도와 동음이의어로 치환돼, 모든 영역을 지배하고 단속한다. 차들은 무한대로 질주하고 기계는 끊임없이 복제된 이미지를 우리들 앞에 펼쳐놓는다. 일상은 화살처럼 빠르게 날아가고 개개인의 삶이 벽돌처럼 규격화되어 가는 사이, 사유의 가치와 존재론적 삶은 멀찍이 뒤로 밀려 나가는 것이다.

이후 풍영정은 몇 차례 중수를 거치면서 오늘의 모습에 이른다. 정자 마루 교체, 단청 보수, 현판 수리, 기와 교체 등이 이어진다. 1997년에는 칠계문중 자금과 정부 보조금으로 대보수를 하게 되는데, 널마루를 우물[井]마루로 바꾸고 난간 방지틀을 교체했다. 견치석(犬齒石) 기단을 자연석으로 교체하고 관리사와 화장실도 새로 지었다. 화단석 출입 계단을 자연석으로 바꾸고 정자 주변 절개지, 경사면, 동편 도로변 절개지를 자연석으로 석축했다.

오늘의 모습을 갖추기까지 음양의 손길이 적지 않았다. 관리라는 표현으로는 충분치 않다. 적절한 관심과 애정의 손길이 미쳤기에 누정이 오늘날까지 보존될 수 있었다.

문우지정 나눈 사통팔달의 자리

칠계의 14대손 김양중 선생의 풍영정에 대한 자부심은 대단하다. 그는 2000년에 교육공무원을 끝으로 퇴직하고 이곳 관리 업무를 맡아 선조의 유지를 받들었다. 앞서 언급한, 2007년에 간행된 『풍영정시선』을 간행하는 데도 그의 수고가 만만치 않았다.

필자는 오래전 풍영정을 들렀다가 그를 만난 적이 있다. 아마도 2013년 전후였을 것도 같다. 그때 선생은 장갑을 끼고 정자 이곳저곳을 청소하고 있었다. 손수 보수할 만한 곳은 직접 품을 들였다. 조상의 유지를 받드는 것은 그리 어렵거나 대단한 일이 아니었다. 공간을 청소하고 보수하는 것, 그 작은 것이 시작이었다. 매일매일 찾아와 정자를 살피고 누정 속의 인물들과 이야기를 나누는 것도 그러한 예에 속했다.

사람들은 오래된 것을 진부한 것, 낡은 것이라 치부하는 경향이 있다. 틀린 말은 아니다. 이 세상 그 어떤 것도 시간의 힘을 이길 수 있는 것은 없기에. 그러나 그곳에서 꽃이 피고, 열매가 맺는다. 진부하다고 백안시했던 것에서 문화의 샘이 솟고 낡은 것이라 애써 무시했던 과거에서 무궁무진한 콘텐츠가 움튼다. 그러므로 무한한 생명의 저수지에 젖줄을 댈 수 있는 관점의 전환이 필요한 시대다.

잠시 김양중 씨가 당시 했던 말을 되새겨 보자. 그는 절경과 편액을 강조한다. 정자와 주변을 가리키며 풀어내는 얘기는 과연 '제일호산(第一湖山)'이라는 말의 실체를 실감하게 한다. '제일호산'은 명정(名亭)의 무게감을 더한다. 아마도 그의 조상인 김언거 또한 이

사거리는 사통팔달(四通八達)의 다른 이름이다. 조선시대 방백이나 인근 지역 수령들이
이곳을 오가며 문우지정(文友之情)을 나누었던 이유다.

곳을 완상하며 강줄기를 굽어보았을 것이다. 500년이라는 시간의
테이프를 되감는다면 꼭 맞춤한 자리에 갓을 쓰고 도포를 입은 청
고한 선비가 서 있을 것만 같다.

  내륙의 정자 중 산수 절경이 이곳보다 뛰어난 곳은 없어요. 당시
  에 서울 사대부 관료사회에서 풍영정을 모르면 대화가 통하지 않는
  다는 말이 있을 만큼 명승지로 꼽혔으니까요. 이곳은 담양과 장성
  그리고 광주와 나주로 이어지는 사거리 관문이죠. 정자에 걸린 편액
  만 보더라도 당대 최고 학자들이 글을 남긴 것을 알 수 있습니다. 퇴
  계 이황, 하서 김인후, 석천 임억령의 시가 걸려 있어요.

사거리는 사통팔달(四通八達)의 다른 이름이다. 운수와 사람, 물
산의 이동경로다. 강까지 거느리고 있다면 모든 것을 갖춘 셈이다.
산 좋고, 물 좋고, 바람 잘 통하고, 볕까지 잘 드는 곳이다. 여기에
정취 또한 남달라, 한번 들른 이는 다음에도 찾을 수밖에 없다. 조
선시대 방백이나 인근 지역 수령들이 이곳을 오가며 문우지정(文
友之情)을 나누었던 이유다.
문헌에 보면 16세기를 즈음해 풍영정 인근에 세워진 누정에는 사
람들의 왕래가 적지 않았다. 광주뿐 아니라 담양, 장성, 나주, 화
순, 순천, 상흥 지역의 정자에도 시인묵객을 비롯한 선비들의 교류
가 활발했다. 담양의 소쇄원, 식영정, 서하당, 면앙정이 그렇고 장
성의 관수정과 요월정도 빼놓을 수 없다. 화순의 물염정과 창랑정,

순천의 양벽정과 환선정도 사람들의 왕래가 잦았다. 순천의 환선
정, 장흥의 관수헌 등도 나름의 원림문화를 간직한 곳으로 역사적
가치가 높은 곳이다.

김언거 세대 이후에 풍영정에 시문을 남긴 사람은 180명가량이
나 되며 수진당이나 서루, 죽와 등에 시를 남긴 사람까지 포함한다
면, 약 230명가량이 참여하고 있다. 풍영정에서 시를 남긴 사람들
은 1600년대 인물들이 가장 많다. 16세기에 누정원림이 활발히 세
워지고, 더불어 원림문화가 형성 발달되었다면, 17세기는 이것을
적극 활용하여 향유하던 시기라고 할 수 있다.[4]

하서 김인후의 '선창에 배 띄우고'

해가 이운다. 극락강의 물비늘이 곱다. 사선으로 비추는 햇볕을
수줍게 받아들이는 물살은 더없이 정묘하다. 무수히 많은 물굽이
가 너울너울 춤을 추며 아래로 흘러간다. 옛적의 그 사람도 오래도
록 저 물빛을 바라보았을 것이다. 극락강을 부드럽게 위무하며 느
릿느릿 흘러가는 구름도 포근하다. 사금파리처럼 빛나는 물살 위
로 새떼들이 줄지어 날아오르다 무연히 강가에 내려앉는다.

마음의 눈으로 바라보자. 눈에 덮인 세상의 비늘을 벗겨 내지 않
고는 저 서늘하고도 수굿한 물비늘을 온전히 보지 못하리. 그리고
마음으로 이야기하자. 듣기 좋은 말, 감언을 밀어내고 담박한 언어

---

4 권수용, 앞의 논문 95쪽.

로 응대하리라. 강은 그렇게 무심히 흘러가며 세상의 것들과 조화를 이룬다. 품을 열어 세상의 따스운 것들을 스스럼없이 받아들인다.

우리 모두는 나루에 잠시 머물다 떠나는 나그네가 아니던가. 이름 모를 새가 산속에서 패악하듯 목청을 뽑는다. 낯선 이의 방문이 달갑지 않은가 보다. 새는 자신만의 왕국을 건설하고 싶었나 보다. 아니 반가운 표현을 저리도 혼절하듯 허공을 향해 내뱉었는지 모른다. 새여, 머물 곳 없는 작고 부박한 이들을 너무 박절하게 내쫓지 마시게…. 그대의 아름다운 소리가 그리워 찾는 이도 있다는 것을 잊지 마시게.

눈을 들어 소담한 강가로 돌린다. 시나브로 가을이 조금씩 오려나 보다. 수면은 맑고 정밀하여 이편의 숨소리조차 부담스럽다. 달이라도 뜨는 밤이면 선계인가 속계인가 분간을 못할 것 같다.

하서(河西)의 시문 가운데 「풍영정십영(風詠亭十詠)」이 있다. 그 가운데 '선창에 배 띄우고(仙滄泛舟)'라는 시는 강의 풍경을 살뜰히 보여준다. 한 폭의 동양화가 눈앞에 펼쳐지는 느낌이다.

백 길이나 되는 풍담 유월에도 가을인데	百丈風潭六月秋
정자 앞에 어느 누가 목란주를 띄웠는가	亭前誰泛木蘭舟
안개 낀 강 조각배에 진인이 누워 있어	煙江一葉眞人臥
은하수 위에 노를 저어 나그네 떠도는 듯	雲漢枯槎海客浮
한밤중 외로운 학은 울면서 날아가고	夜半飛鳴橫獨鶴
물결 사이 들고 나는 갈매기 사뿐하구나	波間出沒有輕鷗

선창의 늙은이를 찾아가려 생각하니 　　　船窓擬訪仙滄叟
꿈에 그리듯 두약주를 오래도록 맴도네 　　魂夢長尋杜若洲

하서의 시는 눈으로 다가온다. 시는 읽는 것이 아니라 보는 것이라는 진리를 말해준다. 자유자재로 움직이는 시선의 미학! 목란주, 조각배, 갈매기, 선창, 학, 두약주라는 어휘는 이편을 강가로 끌어들이고야 만다. 작은 조각배가 떠 있는 선창의 밤, 일렁이는 물결 사이로 홀로 강변을 가로지르는 학이 보인다. 갈매기는 건 듯 일어난 물결을 비집고 허공으로 떠오르고, 도인 같은 풍모의 사람은 작은 배에 몸을 누이고 유유자적한다. 배가 들고 나는 선창가에서 맑은 물 찰랑이는 선창을 닮은 노인을 찾는데, 그는 없고 두약주만 오래도록 맴돈다.

하서는 그러한 상상의 풍경을 혼몽(魂夢)이라고 노래한다. 가물가물하여 꿈인지 생시인지 구분할 수 없는 지경이다. 김인후가 보았던 저 강이 그 강인가. 두약주는 보이지 않고 빈 바람에 물비늘만 차갑다. 갈매기인지 물새인지 모를 새들이 번쩍 날개를 들어 비상을 하는 것은 여일하나 보다. 수백 년의 시간을 타고 내려오는 생명의 신비만 푸른 물살 위로 둥두렷이 떠오를 뿐이다.

3
풍영정과 시문

풍영정은 시문이 발효하는 창작의 산실이다. 감성과 이성의 조화로운 교합은 문장으로 발현된다. 문장은 지적인 사유의 체계가 정교하게 형상화된 실체로, 그것을 끌어내는 기제는 감성과 심상이다. 학문을 숭상하고 문을 이상적 가치로 지향했던 조선사회에서 시문을 창작한다는 것은 자부심의 표현이자 자아를 드러내는 자연스러우면서도 극적인 수단이기도 하다.

만년의 김언거가 이곳에 정자를 지은 이유를 필자는 알지 못한다. 선생의 지고한 학문의 세계와 고매한 인품을 가늠하기에는 이 편의 역량이 턱없이 부족하여 조심스레 짐작해 볼 뿐이다.

풍영정, 극락강 그리고 유서 깊은 마을들

근동 사람들은 풍영정(風詠亭)을 극락강역 인근의 정자로 기억한다. 도로의 표지판에도 극락강역과 풍영정이 표기돼 있다. 엎어지면 코 닿을 데라는 말은 이를 두고 하는 말이다. 역(驛)과 정자(亭

子)는 교차와 교행, 머묾과 정지를 포괄한다. 칠계 선생은 완벽한 은거보다는 개방적인 은일을 택했던 것 같다. 세상과 등을 지는 아웃사이더의 폐쇄적 칩거와는 결이 다르다. 이곳은 사람들이 들고 나고, 물자와 물산이 뱃길을 따라 이동하는 활기찬 공간이다. 물론 극락강역은 일제강점기에 개설되었으므로 칠계 선생의 활동시기와는 400여 년이라는 간극이 있다.

시간의 틈을 메우는 것은 극락강이다. 간이역과 누정은 강을 공통분모로 한다. 풍취가 수려하고 환기되는 이미지가 겹친다. 이름부터 눈길을 끄는 극락강(極樂江)은 모두의 가슴속에 자리한 강인지도 모른다. '극락'이라는 말을 떠올리기만 하면 복잡한 심사는 이내 눈 녹듯 사그라들 것만 같다. 극락은 아미타불이 살고 있는 정토를 말한다. "괴로움과 걱정이 없는 지극히 안락하고 자유로운 세상"을 상정하는 것으로 기독교로 말하면 에덴이나 천국과 같은 곳이다.

광주라는 도시에 극락이라는 지명이 붙은 역이 실재한다는 사실이 이채롭다. 도시에는 극락이 없다. 극락이 존재할 수 없는 구조가 아니던가. 경쟁과 속도, 효율에 치중한 나머지 아귀다툼만 번성한 게 일반적인 모습이다.

문헌에 따르면, 행정구역이 개편되기 전에는 근동에 서창면 벽진동이라는 지역이 있었다. 불교가 융성했던 고려시대에는 포구가 있어서 사람들의 왕래가 잦았다. 당시에 극락암, 극락원(숙소), 극락시(시장)라는 명칭이 있었던 것으로 보면, 극락강의 명칭도 그와 같은 맥락에서 유추해 볼 수 있다.

언급했다시피 극락강은 영산강의 본류로 담양천에서 광주천까지의 물줄기를 이름한다. 극락강을 영산강으로 불러도 무방하지만, 이곳 일대에서는 극락강으로 부르는 게 타당하다. 논리적인 수사가 아닌 정서적인 교감의 차원이다.

강물 물굽이 사이로 늦여름의 적요와 한가로움이 피어난다. 물에서도 저렇듯 꽃은 피어나는구나. 화려한 자태의 눈부신 꽃만 눈을 즐겁게 하는 것은 아니다. 수수함과 침잠에서 은밀하게 맺히는 물살의 꽃도 정원의 그것에 비할 바 아니다. 강이 아름다운 것은, 강을 배경으로 하는 이편의 선창산 자락과 풍영정이 미려하기 때문이다. 상대성이론이라는 거창하고 유식한 말이 아니어도 근묵자흑(近墨者黑)과 같은 섭리일 게다.

수수하게 흐르는 극락강 너머로 사람의 마을이 보인다. 아니 아파트숲이다. 그럼에도 사람의 마을이라 부르고 싶다. 하오의 햇살을 받아 강 너머의 풍경이 잿빛으로 반짝인다. 저 멀리 에돌아 흐르는 강물은 다함없이 아늑하고 쓸쓸하다. 아스라이 펼쳐진 만하(晩夏)의 소묘를 오래도록 바라보다, 풍경의 일부가 되어 버린 듯한 착각에 빠진다.

영산강(극락강)과 면한 신가동, 신창동에는 유서 깊은 마을이 많다. 강과 함께 이루어온 자연마을이다. 매화꽃이 만발한 모습이 마치 매화가 열매를 맺은 것 같다 하여 붙여진 매결마을, 마을 형태가 반달 모양 같다 하여 지어진 반월(半月)마을, 풍영정 정자 이름을 딴 풍영정마을, 원래는 강변마을이었으나 취락 형태가 갖춰지면서 이름이 바뀐 신기마을, 풍영천의 잦은 범람으로 배로 왕래하면서 붙여진 선창마을, 맨 처음 입향한 반(潘) 씨(氏) 성(姓)을 따지어진 반촌마을이 그것이다.

언급한 마을들은 공통적으로 극락강, 풍영정과 친연성을 지닌 촌(村)이라 해도 과언이 아니다. '풍영정마을', '선창마을', '매결마을'이라는 지명은 시적이며 감성적이다. 옛 선조들의 감성과 낭만이 마을 이름으로까지 전이됐음을 알 수 있는 대목이다. 그 중심에 풍영정과 극락강이 자리한다. 옛사람들이 바라보았을 강과 누정이 오늘에 변모했을 리야 만무하지만, 도저한 세월과 함께해 온 정신과 가치는 여일할 것이다.

명필 한석봉의 '제일호산(第一湖山)'

풍영정을 말할 때 가장 앞자리에 조선의 명필 한석봉이 쓴 '제일호산(第一湖山)'이 자리한다. 그의 상찬이 과람하지 않는 것은 단순한 임산배수라는 풍수의 천리를 넘기 때문이다. 앞으로 남실남실 극락강이 흐르고 뒤로는 등허리가 완만한 선창산이 자리한다. 이곳을 지나는 길손이라면 비록 시문에 능하지 않더라도 내면에서 움트는 시적 영감을 느끼지 않을까 싶다.

칠계의 후손 매죽헌(梅竹軒) 김중엽(金重燁)이 남긴 『강호만영(江湖漫詠)』[5]은 정자의 내력을 고증할 귀한 시서로 평가받는다. 여기

---

5 광산김씨칠계공문중 발행, 2011.

풍영정을 말할 때 가장 앞자리에
조선의 명필 한석봉이 쓴 '제일호산(第一湖山)'이 자리한다.
그의 상찬이 과람하지 않는 것은
단순한 임산배수라는 풍수의 천리를 넘기 때문이다.

에는 풍영정의 긴 역사를 알 수 있는 자료들이 수록돼 있다.

그 가운데 칠계의 후손 김중엽의 「강호에서 떠오르는 대로 읊고 아울러 서문하다(江湖漫詠 幷引)」라는 글에는 누정에 관한 전체적인 내용이 담겨 있다. 여기에서도 제일호산(第一湖山) 글귀가 등장한다. 한석봉이 보았던 제일호산이나 김중엽이 거론한 제일호산이나 오늘의 많은 장삼이사들이 이야기하는 제일호산이나, 글귀에 담긴 의미의 차이는 크지 않는 듯하다. 물론 신가와 신창지역 개발로 아파트가 들어서고 수년 전 전 국토를 굉음의 소용돌이 속으로 몰아넣었던 4대강 개발이 진행되면서 근동의 지형이 조금 바뀌었지만 본 바탕은 제일호산과 맞물려 있다.

> 하물며 광주(光州)는 실로 남녘의 대 도회지이고 이 정자는 봉학(鳳鶴)의 형상이 있으며 주인옹(主人翁)은 고상한 품성(稟性)이 있어서 훌륭한 벗들이 구름같이 모여들어 동남(東南)의 아름다움을 다하고 시구(詩句)가 문미(門楣)에 가득하여 달과 별처럼 광휘(光輝)를 빛냈으니 땅은 사람으로 인하여 훌륭한 이름이 나고 해동(海東)에서 필적할 만한 것이 없어서 세칭(世稱) 제일호산(第一湖山)이라 하였다. 아! 시대가 달라지고 세상이 변하여 사물이 바뀌고 사람도 가 버리니 문채(文彩) 풍류(風流)가 모두 묵은 자취가 되었고 강산(江山)이 적막해도 풍경은 전과 다름없어서 고인의 행적을 어루만지면서 선현(先賢)들을 회상(回想)함에 마음속 깊이 사무치는 느낌을 이기지 못하여 그 무졸(無拙)함을 망각하고 고시(古詩) 장

편(長篇)을 읊어 짓고 첫머리에 정자의 훌륭한 경치와 칠계옹(漆溪翁)의 사실(事實)을 서술하고 다음에 퇴계(退溪) 하서(河西)께서 읊으신 십경시(十景詩)를 서술하고 다음에는 본도(本道) 여러 현인(賢人)들이 옹(翁)과 교유(交遊)한 이들을 서술하고 다음에는 동서(東西)로 지나가며 차운(次韻)하여 현판을 건 분들을 서술하였다.

김언거의 「풍영정원운」과 호남 선비들

매죽헌 김중엽은 칠계와 교유한 퇴계, 하서의 십경시는 물론 여러 현인들에 대해서도 기술하고 있다. 그러나 김언거의 작품은 많이 남아 있지 않다. 생애와 연관해 그의 시 세계를 폭넓게 들여다보는 데 제한적일 수밖에 없다.

"김언거의 글들은 임진왜란 때 거의 소실되었다고 한다. 그래서 현재 그의 글이 남아 있는 것은 조금밖에 없다. 그의 글은 1922년에 가서야 종손집에 보관해 온 시문과 여러 사람들의 문집에 산견된 작품들을 가려 뽑아 『칠계집(漆溪集)』이란 이름으로 만들게 되었[6]던 것으로 보인다. 그로 인해 남아 있는 작품은 "시 11수, 제문 3편, 묘갈명 1편 만이 있음"을 알 수 있다는 것이다.

벼슬길에 있으면서 편히 쉬지 못했는데	替緩年來未得休
높은 각(閣)에 올라서니 모든 근심 사라지네	暫登高閣一刪愁

---

6 권수용, 앞의 논문 84~85쪽.

노를 젓는 사공 그림자 달빛 아래 비치고	月邊孤影人移棹
물을 찾는 기러기 떼 바람 소리 차갑도다	風外寒聲鴈下洲
이름 높은 이 지역 한없이 화려하니	爲是名區開壯麗
지나가는 길손들이 찾아와서 머무네	仍敎行客故淹留
난간 위에 기대 앉아 여러 선비들의 시편 바라보니	憑看諸老詩篇在
칠수나산(漆水羅山) 천만추(千萬秋)를 감싸네	漆水羅山護萬秋

— 약천(藥泉) 조계원, 「풍영정원운(諷詠亭原韻)」

　칠계가 활동하던 무렵만 해도 극락강에는 노를 젓는 사공이 있었다. 교교한 달빛이 부서지는 밤이면 기러기 떼는 바람을 가르며 낮게 비행을 했다. 누정이 있는 언덕 너머로 펼쳐진 풍경은 오매불망 그리던 낙원의 모습이었다.

　그렇게 김언거는 고향으로 돌아왔다. 당쟁과 당파로 얼룩진 중앙 정계에서 물러나 어린 시절 뛰놀던 산천으로 돌아온 거였다. 자칫 모함에 걸리기라도 하면 삼대가 멸(滅) 되는 천길 낭떠러지로 떨어질 수도 있었다. 그것의 경계에는 서슬 퍼런 위악의 그림자가 드리워져 있었다. 노회한 술책이 난무했으며, 권력의 위계는 끊임없이 줄 세우기를 강요했다. 더러 곧은 선비들은 입에 물린 재갈을 죽음이라는 소신과 맞바꾸기도 했다. 그렇게 정계라는 모반의 세상에서 칠계는 외로웠고, 고향 산천의 고운 벗들을 그리워했을 것이다. 그의 낙남(落南)이 모천회귀의 자연스러운 과정으로 다가오는 것은 그 때문이다.

인간은 본질적으로 권력을 쥔 자를 좇기 마련이다. 불행하게도 권력은 '피'를 부르는 속성이 있다. 작가 김훈은 산문집『자전거 여행』(생각의 나무, 2000)에서 "소쇄원·식영정뿐 아니라, 다른 많은 정자들도 그 불우의 그림자를 드리우고 있다. 불우한 자들이 낙원을 만들고 모든 낙원은 지옥 속의 낙원이다."고 규정했다. 그럼에도 "조선 중·후기 호남 시인들은 이 이웃한 정자들을 오가며 놀았고, 호남 시단의 문학적 에콜은 정자들을 중심으로 피어났다."고 했다.

16세기 무등산과 인근 지역을 중심으로 들어선 정자가 호남 시단을 풍성하게 했던 것만은 사실이다. 그러나 예술은 역설적으로 피학의 산물이다. 억압과 빈궁, 고독 속에서 찬연히 피어나는 것 또한 예술이다. 이면에 드리워진 "불우의 그림자"는 아마도 그러한 정치 지형과 무관치 않았을 것이다.

잔혹한 당쟁과 사화(士禍)가 중앙 정치판을 휩쓸고 지나간 뒤마다 담양 들판에는 정자들이 늘어났다. 조광조(趙光祖)는 조선 성리학의 정치적 절정이었다. 조선 사대부들 중에서 아무도 조광조만큼 근본주의에 완벽할 수는 없었다. 그는 가장 완강하고 순결한 복고주의의 힘으로 가장 미래지향적인 정치 개혁을 단행했다.『소학(小學)』의 원칙주의를 체질화한 그는 이념과 현실의 차이를 긍정할 수 없었고, 그 간격에 안주하는 자들은 '소인배'라고 규탄했다. 그는 현실 속에서 왕도정치의 낙원을 건설하고 있었으므로 그가 시골에 따로 정자를 지을 필요는 전혀 없었을 것이다. 조광조는 기묘사화에 죽었고, 낙원은 문을 닫았다. 조광조가 죽자 그의 낙원 건설을 황홀하게 바라보고 있던 문하생 양산보(梁山甫, 1503~1557)는 서둘러 고향으로 내려와 또 다른 낙원을 건설했다. 이 낙원이 소쇄원이다. 양산보는 그가 상실한 정치적 낙원과 그가 지은 원림(園林) 속 낙원 사이의 관계에 대하여 일언반구도 하지 않았다. 송강에게서 알 수 없는 것은 당쟁의 정치 현실 속에서 그가 보여준 노련한 전투 기술과 그의 도가적 정자 사이의 관계다. 송강도 그 관계를 설명하지 않았다. 400년 후에 자전거를 타고 온 한 후인의 눈에 이 정자들과 낙원의 서늘함은 불우하다.[7]

어디 조광조, 양산보뿐이겠는가. 명곡(明谷) 오희도(1583~1623) 또한 패거리정치가 난무하는 현실을 더 이상 볼 수 없었다. 명곡은 광해군의 패륜정치에 환멸과 무참함을 느껴야 했다. 남향(南向)을 택한 것은 그러한 연유다. 담양 후산리에 서재를 짓고 은둔을 한 것은 "불우의 그림자"를 벗어나기 위한 나름의 방책이 아니었을까 싶다.

풍영정의 주인장 칠계의 눈에 '칠수나산(漆水羅山)'은 '풍우영귀(風雩詠歸)'의 처소였다. 풍취가 넘치고 극미의 아름다움이 펼쳐지는 곳이었다. "불우의 그림자"를 떨쳐 버릴 수 있는 지점이었다. 그의 은일은 세상의 모든 것을 끊는 폐쇄적인 칩거가 아니었다. 오히려 그는 더 많은 이들과 교유하고 시문을 논했다. 언급했던 대로

---

7 김훈, 『자전거 여행』, 생각의 나무, 2000, 44~45쪽.

송순, 김인후, 기대승, 임억령, 고경명 등 내로라하는 문사들이 이 곳을 출입했다. 그들이 풀어낸 시문은 중세 호남 시단의 르네상스를 구현했다고 해도 과장이 아니다.

정자 처마에는 제영 현판(題詠懸板)들이 그득하다. 줄잡아도 70여 개쯤 이르지 않을까 싶다. 서까래 밑과 들보 사이에 걸린 편액들은 무정한 세월을 이겨내고 오늘에 이르렀다. 굽이굽이 흐르는 극락의 물줄기와 하나 되는 시화가 소담한 병풍처럼 창연하다.

하서 김인후의 「풍영정십영(風詠亭十詠)」

다음은 하서(河西) 김인후(1510~1560)의 「풍영정십영(風詠亭十詠)」 중 '현봉의 달맞이(懸峯邀月)'라는 시다. 장성 출신인 김인후는 1540년 별시문과에 병과로 급제했다. 후일 세자의 교육을 담당하는 시강원설서에 임명돼 당시 세자였던 인종을 가르쳤다. 그러나 인종이 보위에 오른 지 얼마 안 돼 병사하고, 을사사화의 광풍이 불어닥친다. 그는 낙향하여 학문 정진과 후학 양성에 진력한다. 하서는 퇴계 이황과 친교하며 학문을 논할 만큼 우정의 관계가 깊었던 것으로 보인다.

'현봉의 달맞이'는 풍영정을 방문한 하서가 쓴 시다. 선창산 인근에서 떠오르는 달을 맞아들이는 풍경이 한 폭의 그림 같다.

들자하니 현봉이 칠계의 동족에 있다는데	懸峯聞在漆溪東
이름으로 미루어 멀리서도 매우 높은 줄 알았다	揭號遙知萬丈崇

그림자가 산에 막혀 처음으로 바다에 나오고 　倒影隔山初出海
반 바퀴나 잠겨서 공중으로 오르지 못하는가? 　半輪涵際未騰空
잔을 멈추고 창망한 밖을 몇 번이나 물었던고 　停杯幾問蒼茫外
약을 찧은 지 아득해 여러 해가 되었네 　擣藥多年縹緲中
영결이 세상에서 기쁨과 슬픔을 가벼이 한다면 　盈缺世間輕喜戚
생각건대 두루 융화하지 아니한 밤이 없으리 　只應無夜不圓融

　달이 허공에 떠오르는 밤, 절벽을 이루는 봉우리를 바라보는 심상을 읊은 시다. 그림자가 산에 가로막혀 반쯤은 물에 잠긴 모습이 손에 잡힐 듯 가깝다. 가득 차고 없어지는 이치는 세상사 희로애락 또한 부질없다는 것을 말하는 것 같다. 그러므로 두루 베풀고 서로서로 합을 이룰 일이 아니겠는가.
　'유시의 긴 숲(柳市長林)'이라는 시는 이곳의 풍경을 오롯이 묘사한 작품이다. 강가를 따라 치렁하게 늘어선 버드나무의 모습에 이 편의 마음마저 일렁인다.

동쪽 성을 가리키며 멀리 한번 바라보니 　指點東城一望悠
어렴풋이 들 밖에 문루가 비치누나 　依依野外映門樓
실버들 가지 빛을 희롱해도 주관할 사람 없고 　煙條弄色無人管
버들강아지 공중에 날리니 자유롭지 못하다 　暖絮翻空不自由
얼굴에 바람 불어오니 시흥이 솔솔 일어났는데 　吹面風來詩興嫋
송별의 노래가 그치니 나그네의 갈 길이 멀어라 　折枝歌罷客程脩

맑은 서리는 한밤중에 놀라 흔들려 내리더니	淸霜半夜驚搖落
눈 온 뒤 신기한 광경은 만 옥이 늘어져 휘었다	雪後奇觀萬玉樛

　풍영정의 **빼어난** 경관을 더하는 것은 실버들 가지와 버들강아지다. 건듯 부는 바람에 시구가 떠오르고, 떠나야 할 길은 아득하다. 서리가 내린 후의 풍경은 옥을 펼쳐 놓은 듯 기이한 광경을 이루었다.

퇴계 이황의 「차칠계십영운(次漆溪十詠韻)」

　『풍영정시선(風詠亭詩選)』에는 퇴계 이황(1501~1570)의 칠계 십영 운에 따라 지은(「차칠계십영운」)도 수록돼 있다. 이 중 '서석의 개인 구름(瑞石晴雲)'은 누정에서 바라본 무등의 자태를 특유의 활달한 감성과 깊이 있는 사유로 직조해낸 시다.

　퇴계는 경북 안동 출신으로 풍기군수, 성균관대사성, 대제학 등을 역임했다. 1534년 문과에 급제했으며 김인후 등과 교유하였다. 그의 학문은 일대를 풍미했으며 영남을 배경으로 퇴계학파가 형성될 만큼 지대한 영향을 미쳤다.

산 경치는 조석으로 저절로 공몽(涳濛)하고	山光朝暮自涳濛
산세는 높고 가팔라서 만고에 뛰어났네	山勢巍巍萬石雄
어설픈 재주로도 만물을 윤택케 할 줄 아나	膚寸已知能澤物
산이 험준하여 여전히 바람 탈 기회 없었네	屛顔仍未曾乘風

귀거래한 도연명은 계기가 어디에 있었을까   去來陶令機何有
출처는 소주(蘇州)라 하니 뜻이 매우 통한다   出處蘇州意甚通
높은 정자를 배회하다가 한가로이 가리키니   徒倚高亭閒指點
다만 응하는 심사는 옛사람과 같구나   只應心事古人同

  안개비가 내리는 날, 풍영정에 오르면 멀찍이 떨어져 있는 자애로운 산과 마주한다. 예전이라면 걸림이 없는 탁 트인 전경에 후덕한 남도의 산이 들어왔을 것이다. 청고한 선비들이 활약할 때에는 그러하겠지만, 안타깝게도 지금은 도시화로 흐릿하다. 이편에서 보는 무등산은 맑은 날도 좋지만, 이슬비가 바람에 흩날리는 날에 그 형세가 오히려 절경으로 다가온다.
  퇴계 선생도 무등의 개인 구름에 마음을 빼앗긴 것인지 모른다. "산세는 높고 가팔라서 만고에 뛰어났어라."는 경탄이 그저 그런 수사로만 들리지 않는다. 무등산은 어느 방향에서 보느냐에 따라 다른 형상으로 다가오는데, 풍영정에서 강가를 배경으로 비치는 모습은 무엇에 비할 바 아니다.
  한편으로 칠계 선생이 퇴계 선생에게 올린 작품이 『칠계집(漆溪集)』에 「정이퇴계(呈李退溪)」라는 제목으로 두 수가 수록돼 있다. 다음은 '청원정운(淸遠亭韻)'을 사용하여 지은 작품이다.

출렁이는 파도가 작은 연못을 덮치니   百谷波濤裏小塘
가을이 와도 어디에서 청향을 볼 수 있나   秋來那得見淸香

붉은 구름 푸른 장막 구분 없이 참담해져	紅雲翠幄慚無分
밤이 되면 난간에 기대어 달빛만 감상하네	入夜憑欄賞月光
어디서 가득한 꽃봉오리 늦바람에 나부끼는 것을 볼까	那得繁英颺晚風
다만 푸른 풀 못 가운데 가득함만을 보네	只看靑草滿池中
헛된 이름 벽에 걸어두고 흥 없음을 알겠으니	空名掛壁知無興
연꽃에 대해서는 주렴계에게 물어야 하리	淨植問夫濂上翁

　김언거가 퇴계에게 올린 시는 청원정 연꽃을 소재로 한다. 영산
강 지류인 극락강은 장마철과 태풍이 몰려오는 초가을에 범람이
잦았다. 평소대로라면 연꽃이 만발한 연못의 풍경을 그릴 수 있었
을 것이다. 그러나 꽃은 자취를 감추었고, 온통 푸른 잎만 가득한
연못의 풍경만 출렁인다. 주위로는 무성히 자란 잡초만 에워싸여
있다. 이를 바라보는 이의 심사는 안타까울 뿐이다. "어디서 가득
한 꽃봉오리 늦바람에 나부끼는 것을 볼까." "다만 푸른 풀 못 가운
데 가득함만을 보네."라는 구절은 연꽃이 만발했던 시기와 대조를
이루며 허망함과 쓸쓸함을 전해준다.
　당시 풍영정 인근에는 '청원정(淸遠亭)'이라는 정자가 있었던 모
양이다. 『창평향교지』에 따르면 이곳은 김언거의 중형이자 옥과 훈
도(訓導)를 지낸 김언우(金彦瑀)의 정자였는데, 1546년 담양군 창평
면으로 이기하면서 아우에게 준 것이다.[8] 김언우의 호가 '淸遠亭'인

---

8 『창평향교지』, 「각성씨입향사」, 광산김씨.

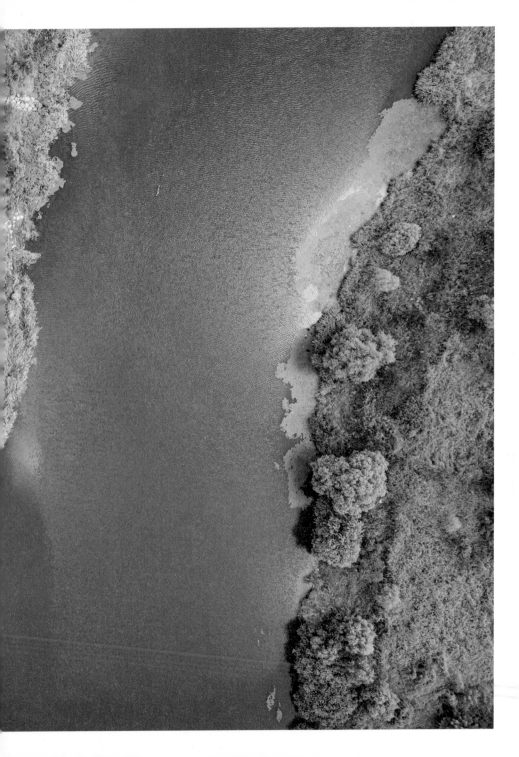

것으로 미루어 보면, 그 또한 이곳의 누정을 몹시 아꼈던 것 같다.

청원정 외에도 당시 풍영정 인근에는 다른 누정들이 다수 존재했던 것으로 보인다. 청원정은 그 가운데 하나로 주위에는 연꽃이 심어진 연못이 있었다. "출렁이는 파도가 작은 연못을 덮치니, 가을이 와도 어디에서 청향을 볼 수 있나." 강의 범람으로 연꽃이 무참히 꺾인 장면은 무성한 풀과 대조를 이룬다.

풍영정을 노래한 시의 성찬

『풍영정시선』에는 석천(石川) 임억령(1496~1568)의 시도 있다. 칠계 십영 운에 따라 지은 시 가운데 「수교에서 봄을 찾음(繡郊尋春)」을 살펴보자.

느린 물 빨리 흘러 저절로 시내로 들어가고	嫩水濺濺自入川
새 숲에 이슬이 내리니 새벽빛이 곱구나!	新林冉冉曉光鮮
농부들은 나에게 봄이 왔다고 알리는데	農人告我春初及
동자들은 건거를 끌며 옷소매를 나란히 했네	童子巾車奉袂聯
아름다운 새는 때를 알아 안개 밖에서 희롱하고	好鳥知時煙外美
저녁 산의 여러 자태 비 온 뒤에 더 곱구나!	晚山多態雨餘姸
유유하고 쾌활한 사람 만나지 못하여	悠悠快活無人會
지팡이에 기대고 하늘을 보니 뜻이 아득하다	倚杖看天意渺然

새벽 숲 이슬이 내린 풍경 뒤로 아름다운 새들이 안개 사이를 노

닌다. 저녁 어스름이 내린 이후 비에 젖은 산의 자태는 비할 데 없이 곱다. 옥금으로 장식한 수레를 끄는 어린아이들의 몽환적인 모습까지 더해져, 봄이 왔다고 하는데 하늘은 유유하고 아득할 뿐이다.

규암(圭庵) 송인수(1487~1547)의 시 「계진의 정자에 쓰다(題季珍亭)」도 절창이다. 규암은 대사헌과 이조참판을 역임했지만 윤원형, 이기 등에 의해 사사됐다. 그는 성리학의 대가였으며 선비들의 추앙을 받았다.

한나절 한가한 틈을 타서 온갖 일 그만두니	半日偸閑萬事休
하늘 끝 봄빛을 멀리서 근심을 더해 주네	天涯春色迥添愁
산은 멀고 가까운 도화동을 에워싸고	山圍遠近桃花洞
물이 동서로 나뉘는 두약꽃 핀 물가로다	水散東西杜若洲
시종의 자린 오래 비우고 유랑하기 어려우니	侍從久虛難浪跡
임천이 비록 아름답긴 하지만 오래 머물지 마소	林泉雖美莫淹留
흰머리는 나와 같아 귀전(歸田)이 늦었지만	白頭如我歸田晩
장한의 외로운 배 가을을 기다리지 않았던가	張翰孤舟不待秋

면앙(俛仰) 송순(1493~1583)의 작품도 빼놓을 수 없다. 시의 제목은 「사상의 운을 따라 짓다(次使相韻)」이다. 여기에서 사상(使相)은 전라도 관찰사를 하였던 규암 송인수를 가리키는 말이다.

무유(無有)를 안력(眼力)으로 쉴 새 없이 찾으니	憑虛眼力聘無休

누가 청심을 기울여 이 근심을 생각할까	誰向淸心着箇愁
만 겹 먼 봉우리들은 넓은 들을 에워싸고	萬疊遙岑圍闊野
한 가닥 찬 물줄긴 사주를 둘렀어라	一條寒水繞長洲
봄바람 부는 오늘은 절로 흥이 나는데	春風此日堪乘興
석양에 귀한 손님 다시 머물라 권하네	玉節斜陽更勸留
조만간에 돌아가 쉬면 다 정해진 곳이 있으니	早晚歸休皆有地
안개 낀 물결 내왕하며 어느 때를 기다릴까	烟波來往待何秋

풍영정에서 가까운 월봉서원에 제향된 고봉(高峯) 기대승(1527~
1572)의 「원운을 따라 짓다(次)」도 명시다. 빈 들판을 쓸고 지나가
는 바람과 안개가 걷힌 모래사장을 바라보는 심사가 비할 데 없이
가볍다. 고봉은 선창산에 왔다가 모든 근심이 사라졌노라고 고백
한다.

산을 좋아하는 나그네가 쉴 새 없이 노닐면서	遊山羈客不能休
우연히 선창에 이르니 모든 근심이 사라졌네	偶到仙滄一散愁
바람은 숲 끝과 어우러져 먼 들녘을 드러내고	風約林梢呈遠野
안개가 물결에서 걷히니 긴 사주가 드러난다	烟開波浪露長洲
속세는 다만 삼산이 막힌 것을 한탄하지만	塵埃只恨三山隔
동이 술이 어찌 한나절 머무는 데 방해가 되랴	樽酒何妨半日留
사람의 일은 끝이 없어 스스로 다하기 어려운데	人事悠悠難自了
짐짓 와서 구경하려고 깊은 가을을 기다리네	故應來賞待高秋

이처럼 풍영정에는 제현들의 시가 아름다운 경쟁을 하듯 걸려 있다. 유유히 흐르는 강줄기 위로 하얀 백로가 날개를 접고 잠시 물음표의 자세로 서 있다. 그대는 무엇을 생각하는가. 아니 그대는 무엇을 바라보는가. 자연과 하나 되는 그대가 부럽고 부럽도다. 건듯 불어오는 바람에 물새는 날개를 펴고 가볍게 허공으로 떠오른다. 표표히 사라지는 백로의 움직임은 모든 것을 초탈한 초인의 모습이다. 마치 제현들이 읊어낸 시의 구절들이 삼라만상 허공으로 흩뿌려지는 듯하다. 인화해두고 싶은 풍영 그대로의 모습이다. 선비들의 문장에 값할 만한 정취가 물결의 서슬에 일어나니, 온갖 시어들이 다투듯 밀려드는 듯하다.

그대와 함께 어느 날에 돌아가 쉴 것인가	與君何日得歸休
하늘 끝 돌아보니 이 해도 저물어 걱정일세	回首天邊歲暮愁
몸은 태수의 직을 띤 붉은 인끈에 매였으나	身繫黃堂朱綬絨
마음은 넓은 바다 흰 갈매기의 사주에서 논다	心遊滄海白鷗洲
사공도는 떠나야 하는 세 가지를 언제나 아쉬워했고	常憐表聖三宜去
도연명은 오두미로 머무는 게 또한 부끄러웠다네	亦恥淵明五斗留
나는 먼저 떠나 공이 임기 다하기 기다리려 하니	我欲先行公待滿
함께 계서를 장만하여 늦가을을 보낼 수 있으리라	共將雞黍送殘秋

— 전주부윤(全州府尹) 오겸(吳謙), 「차운(次韻)」

위 시는 전주부윤 오겸(吳謙, 1496~1582)의 시이다. 호는 지족

암(知足庵)이고 본관은 금성(錦城)이다. 이조 판서, 대사헌이 되었으며 『명종실록』 편찬에 참여하고 우의정에 이르렀다. 몸은 아직 직무에 매여 있으나, 마음은 사주를 떠도는 흰 갈매기와 함께 노닌다는 내용이다. 그럼에도 저자는 "나는 먼저 떠나 공이 임기 다하기 기다리려 하니/함께 계서를 장만하여 늦가을을 보낼 수 있으리라."고 노래한다.

문헌에 따르면 '계서(鷄黍)'란 손님을 대접한다는 뜻의 고사다. 어느 노인이 공자의 문하인 자로(子路)를 집에 들여 닭을 잡고 기장밥을 지어 대접했다는 데서 유래한 말이다. 오겸 또한 정계를 떠난 후에는 김언거와의 한가한 일상을 바랐던 것으로 보인다. 시간이 흘러 올해도 세밑에 접어든 아쉬운 심경을 풍영의 정취에 의탁해 노래한 것이다.

빼어난 후손 김중엽과 『강호만영』

칠계의 삶과 시문학을 조망하기 위해서는 『풍영정시선』 외에도 앞서 언급한 대로, 『강호만영』을 주목할 필요가 있다. 이창룡 전 건국대 교수는 2011년 간행된 『강호만영』 축간사에서 이 책의 중심 과제는 "칠계 선생과 동시대에 교유했던 인물들을 시의 소재로 하여 2행 7언의 장편 서사시 형식으로 작시한 데 있다. 시 속에 등장한 200여 명의 인물들을 중심으로 그분들의 거주지와 약력뿐만 아니라 부조 형제 자질과 외척까지 총 700여 명 계보를 주석으로 첨부하였다."며 "문헌이 희소했던 당시 각고정려의 헌신적 노력은 당대 호남지방 제현들의 인물사전이라 하여도 과언이 아닐 것이다."
라고 의의를 밝혔다.

이러한 관점에서 보면 풍영정 시문을 토대로 한 김중엽의 저서는
문화의 보고라 해도 손색이 없다. 또한 이 교수는 김중엽을 가리켜
"박학다식한 준채로서 특출한 역사가요 시인이며 철저한 숭조상문
의 청순한 선비였다."고 덧붙인다.

다음의 글은 『강호만영』에 담긴 시의 내용과 형식이 어떠한지, 김
중엽의 간략한 행적에는 어떠한 내용이 있는지 등을 설명한 부분
이다.

한편 후손 김중엽은 1776년에 『강호만영』을 지어서 김언거와 풍
영정의 위상을 다시 한 번 높이고자 하였다. 이 글은 7언배율 280
운으로 이루어져 있는데, 이 내용은 먼저 풍영정의 승경과 김언거
의 행적을 서술하고, 이어서 이황과 김인후가 읊은 10영을 서술하
였으며, 다음에는 김언거와 동시대에 살면서 종유했을 사람들에 대
해서 서술하고, 다음으로 현판시가 있는 사람들을 서술하였는데,
먼저 시로 읊고, 그 아래에 세주로 인물의 인적사항을 적고 있는
형식이다. 대개 1운마다 인물의 인적사항을 적고 있는데, 그 선조
와 아들 및 손자까지 적고 있으며, 풍영정차운시가 있는 사람은 차
운시가 있다고 표기하고 있다. 그렇게 하여 이황과 김인후에서부
터 숙종대 인물인 이필(李泌)까지 기록하고 있으며, 끝에 풍영정차
운시를 한 수 지어서 붙여 놓았다. 김중엽은 한편으로 1777년에 고

경명의 6대손인 고경(高炅)과 협력하여 여러 문헌을 조사 정리하여
표충사 문헌록을 편찬하기도 하였다.[9]

    대체로 풍영정을 오고 간 이들은 주인과의 왕래가 잦았다. 후대
에 이르러서는 인근 지역 관직에 있던 이들이 누정에 올라 시를 짓
는 경우가 일반적이었다. 관찰사나 군수와 같은 신분을 지닌 이들
이 풍영정의 명성을 듣고 방문한 것이다. 관인들의 관심과 애정이
있었기에 풍영정이 광주 원림문화의 중요한 축으로 존재했으리라
는 추정이 가능하다.

---

9 고경명, 『국역제봉전서』 해제, 21쪽.

멀리서 철교의 진동이 밀려온다. 기차가 바람을 가르며 저만치서 다급하게 달려온다. 한동안 바퀴의 울림이 온몸으로 전해지며 쿨렁쿨렁 소리와 맞물린 강줄기가 남실남실 춤을 춘다. 극락강 붉은 철교 위로 기차가 내달리는데 시간을 역류하여 머나먼 시대로 돌아가는 것 같다. 단숨에 시야를 돌파해 버리는, 화살처럼 날아가 버리는 역동의 신화가 펼쳐진다.

허공으로 아스라이 사라지는 기차가 도달한 곳은 어디인가. 칠계 선생이 활동할 당시의 조선 중엽 어느 날이었으면 좋겠다. 그래서 선생을 만나면 푸른 술 한 잔 올리고 싶다. 맑은 물 둥실둥실 떠내려가는 누정에 앉아 시 한 수 배우며 고결한 말씀 한 자락 들으리. 모든 근심 물살에 풀어놓고 모든 쓸쓸함 바람에 날려 버린 채, 햇귀 떨어지는 극미의 풍경 바라보며 그렇게 한나절을 보내리.

푸른 물줄기가 영산강 상류인 극락강으로 불리는 이유가 가늠이 된다. 이곳에서 '극락(極樂)'은 풍경 너머의 질서와 욕망을 뛰어넘는 또 다른 세상일지 모른다. 오래전 선비들이 꿈꾸었던, 은일과 은거 속에서 희원했던 자유와 초탈의 세계 말이다.

4
풍영정 공간과 칠계 선생

계단을 올라가는 길은 켜켜이 쌓인 세월의 흔적을 확인하는 과정이다. 댓돌 같은 돌들이 이마를 맞대고 계단을 이룬 형국이 이채롭다. 제현들의 다채로운 시문처럼, 돌들의 형상 또한 제각각이다. 문명과 속도로 상징되는 시멘트는 문화를 죽인다. 문명은 시혜를 베풀 듯 편리를 주지만, 문화는 숨결을 불어넣고 생명을 깨운다. 돌에는 우리가 꺼내서 지펴야 할 문화의 불씨가 숨 쉬고 있다. 그것과 몸체를 이룬 기와, 황토 또한 순도 높은 문화의 보고이자 콘텐츠의 질료다.

호남시단의 중추적인 공간

풍영정은 광주시 문화재자료 제4호로 정면 네 칸, 측면 두 칸의 팔작집의 형태다. 처마는 고운 여인의 손처럼 부드럽고 완만하며, 오랜 세월의 흔적이 밴 기둥은 훈훈한 느낌이 그윽하다. 그다지 두껍지도 얇지도 않은 기와는 끝이 버선코처럼 둥글어 정겹기 그지 없다. 완만한 천장은 가느다란 강줄기처럼 다소 선이 날렵해 보이지만, 오래도록 바라보고 있으면 어머니의 젖가슴처럼 푸근하다.

정자 안쪽으로 70여 개 130여 수의 시판 그리고 한석봉의 글씨 '第一湖山' 현판이 걸려 있다. 조선 중기 호남시단의 중추적인 공간인 셈이다. 더욱이 가사문화권이 집약된 담양의 송강정, 식영정, 면앙정과 견주어 봐도 손색이 없다. 자연경관으로나, 누각에 걸린 편액으로나, 그 정신으로나, 한석봉의 문구 '第一湖山'에 값하는 면모를 갖추고 있다.

건축사적인 가치를 높이는 것은 물론 김언거의 학식과 덕망 때문이다. 전국 도처에서 제현들이 찾아와 시문을 짓고 정세를 논하고 풍류를 즐겼다는 것은 그만큼 칠계의 천품이 유하고 따스했음을 보여준다. 다시 말해 교유 관계가 폭넓었다는 사실을 방증하는 것인데, 요즘으로 치면 '마당발' 내지는 인적네트워크가 잘 구축돼 있었다는 의미다. 광주뿐만 아니라 인근 고장에 부임해 온 이들도 다투듯 이곳을 찾았다.

한편 박광옥이 지은 김언거의 묘지명에는 "평생 학문을 좋아하여 시렁 위에 만 권의 책을 꽂아놓고 손에서 책을 놓지 않았으며, 『죽와휘언(竹窩彙言)』『송사절요(宋史節要)』『역대명신간소초(歷代名臣諫疏抄)』『가례초(家禮抄)』 등 수십여 권의 책이 모두 선생의 손에서 나왔다."[10]고 적고 있다.

---

10 앞의 책『칠계유집(漆溪遺集)』,「칠계묘지명(漆溪墓誌銘)」(박광옥 찬) "평생호학(平生好學), 가압만축(架押萬軸), 수불석권(手不釋卷)"

댓돌 같은 돌들이 이마를 맞대고 계단을 이룬 형국이 이채롭다. 제현들의 다채로운 시문
처럼, 돌들의 형상 또한 제각각이다. 문명과 속도로 상징되는 시멘트는 문화를 죽인다.

묘지의 글은 선비의 표상을 보여주는 대목이다. 항상 책에서 손을 놓지 않은 모습은, 칠계의 학문하는 자세와 무관치 않았을 터이다. 단지 자연과 벗하며 소요하는 데에만 세월을 보내지 않았다는 것이다. 학문은 세상에 대한 관점과 이상을 드러내는 방편이기도 하지만, 후학들과 소통하는 매개체다. 또한 그 자체로 전수 목적이 되기도 하다. 이러한 정황은 칠계가 자신이 펴낸 책을 바탕으로 후진 양성에도 심혈을 기울였다는 사실을 보여준다.

물론 조선시대의 정자는 다양한 의미가 내재된 공간으로 환기된다. 이조 오백 년의 역사가 이를 증명한다. 고아한 문림의 이면에 정쟁과 사화, 칩거와 은일이라는 대조적인 이미지가 투영돼 있다. 그러나 이곳 풍영정은 적어도 그러한 당쟁과 당파의 그림자에서 멀찍이 떨어져 있는 것 같다. 세상 어디에도 모두의 낙원은 존재하지 않는다. 아니 애초부터 낙원이라는 신기루 같은 처소는 없었는지 모른다. 다만 스스로가 낙원이 되어가고자 하는 과정만 존재할 뿐이어서, 그것을 지상에서 찾는다는 것은 모래밭에서 바늘을 찾는 것만큼이나 허랑한 일일지 모른다.

밤 고요하면 맑은 바람 소리 나고

정자에 앉아 가볍게 숨을 마신다. 숨결에 안과 밖이 연결되는 느낌이다. 이런저런 세상의 허다한 소리도 걸러진다. 열려 있으면서 닫혀 있고, 닫혀 있으면서 열려 있는 이 공간의 개방성! 잠시 번다한 세상에서 벗어나고 싶다면 풍영정에 갈 일이다. 바람이 속삭이고 강물이 노래하는 이곳에 들러 은일과 겸허의 시간을 갖는 것이다.

폭염의 한 철이 스르르 흘러가고, 저만치 가을이 오는 극락강 줄기에 눈길이 머문다. 강물은 여일 없이 흐르고 하늘은 투명하기 이를 데 없다. 누정에 오르면 근심 걱정은 봄볕에 눈 녹듯 사라진다. 강물은 흘러흘러 아래로 줄달음치고, 구름은 하나둘 서로 엉겨 기묘한 형상을 이룬다. 옛사람들은 이곳에 올라 비단결 같은 강폭을 가늠하며 절창 명시를 낭랑하게 읊었다. 신선이 노닐다 지나간 듯 사시사철 풍월은 신비로워, 오늘날에도 이곳을 지나는 길손들은 차마 그냥 지나치지 못하리.

다음은 광산인(光山人) 김진화의 「풍영정 벽 위의 운을 따라 짓다(敬次風詠亭壁上韻)」라는 시다. 『풍영정시선』에는 '갑신년 칠월 상완에 김진화'라고 적혀 있다. 그는 서포 김만중의 아들로 숙종 13년(1687년) 진사에 합격하였고 이후 광주 현감, 충주 목사, 대사간 등을 역임했다.

그의 시에는 스치듯 누정을 지나는 이의 감성이 잘 드러나 있다. "밤이 고요하면 숲 끝에서 맑은 바람 소리가 나고 구름이 걷히면 문발 위에 밝은 달이 머문다."는 표현은 일상의 풍경을 담담하게 펼쳐낸 것으로, 과장이나 허식과는 거리가 멀다. 9월과 10월 어느 한때의 정취가 정밀한 수면 위에 닿아 있다. 그 서슬에 불볕의 여름도 가뭇없이 지나가고 바야흐로 수국에 가을이 드는, 쓸쓸한 계절이 발밑에 당도해 있다.

버드나무 그늘 가에 오마를 쉬게 하고	楊柳陰邊五馬休
잠시 높은 난간에 기대어 근심을 물리치노라	乍憑危檻爲排愁
주인은 능히 평천의 수석을 보존해서	主人能保平泉石
지나는 객은 혹 사조주에 왔는가 의심하네	過客疑臨謝脁洲
밤이 고요하면 숲 끝에서 맑은 바람 소리가 나고	夜靜林端淸籟發
구름이 걷히면 문발 위에 밝은 달이 머문다	雲收簾額素娥留
제현들의 시구는 지금도 여전히 남아 있고	諸賢咳唾今猶在
난간의 여주를 비추니 수국에 가을이 든다	照欄驪珠水國秋

누구나 이곳에 들면 시인묵객이 되는 것이다. 나뭇가지 사이로 비치는 극락 물결의 품과 너머너머 무등의 품이 가을빛에 섞여 들며 잠들어 있던 감성을 일깨운다. 고상한 언어가 아니어도, 엄밀한 운을 따지지 않아도, 가슴에서 움터 머리끝으로 피어오르는 언어는 흐르는 물과 같은 자연스러운 시가 된다.

이따금씩 물새들이 풀어놓는 뜻 모를 소리는 이편으로 보내는 답시로 생각해도 좋을 듯하다. 무엇이 그리워 한 녀석이 허공으로 차오르면, 다른 녀석들도 이에 뒤질세라 날개를 퍼득인다. 범인(凡人)의 눈에 그것은 살아 꿈틀대는 시로 다가와, 오래도록 지워지지 않는 명승으로 남는다.

5
풍영정 전설

풍영정과 관련해 세 가지 전설이 전해 내려온다. 그만큼 문화콘텐츠로 전이될 가능성이 높다는 얘기다. 전설은 설화와 민담처럼 사람들의 입에서 입으로 구전되는 것이기에 창작자에 따라 얼마든지 새로운 '마디'를 첨언할 수 있다.

전설 하나는 강원도 소금장수 사내와 근동마을 어느 처자와의 로맨스다. 이 스토리는 많은 사람들의 입과 다양한 자료를 통해 윤색되고 있다. 때는 조선 말기. 당시만 해도 서해 바닷물이 극락강까지 밀려와 작은 배가 드나들 수 있었다. 멀리 강원도에서 소금을 싣고 오는 사내와 마을의 처녀는 사랑에 빠진다. 보는 눈을 피해 짧은 만남을 가졌던 이들은 영원히 함께하자는 맹세를 한다. 그러나 당시는 신분의 엄격했던 시절이었다. 소금장수 사내와 양반가 규수는 이루어질 수 없었다. 아니 꿈도 꿔서는 안 되는 사이였다. 반상의 도가 엄격히 존재하는 시대에 신분을 넘는 사랑은 목숨을 담보로 해야 했다. 어느 순간 소금장수 사내의 종적이 끊기고 말았다. 오매불망 사내를 기다리다 지친 처자는 별 수 없이 다른 곳에 시집을 가고 만다. 부모의 권고를 따르지 않을 수 없었다. 그런데 운명의 장난이었던가. 소금장수 사내가 4년째 되던 해, 다시 소금 배를 저으며 근동에 나타났다. 사내는 오로지 처자와의 재회 외에 다른 것은 생각하지 않았다. 그러나 처자는 이미 다른 남자의 아내가 돼 있었다.

사내는 차마 여인을 만나지 못하고 발길을 돌려야 했다. 여인 또한 밤마다 풍영정 언덕에 올라 사내를 그리워했다. 가슴에는 시나브로 회한과 슬픔이 쌓여만 갔다. 몇 날 며칠 한숨과 눈물로 지새던 여인은 그만 죽고 만다. 그녀가 서 있던 자리에 커다란 괴목이 자라나기 시작했다. 그러더니 사내의 고향인 강원도 북쪽을 향해 뻗어나갔고, 이내 강물을 덮고 말았다. 어느 결에 두 사람의 애틋한 사랑 이야기는 불어오는 바람에 묻혀 허공으로 분분히 흩어진다.

전설 둘. 임란 때 정자들은 모두 불에 타 버렸는데, 풍영정만 소실을 면한 데는 그럴 만한 이유가 있었다고 한다. 이른바 내화전설(耐火傳說)이 그것이다. 다른 누정이 타고 불길이 풍영정으로 옮겨붙자, 신기한 일이 벌어진다. 현판 글자의 '풍'자가 오리로 변해 극락강 위로 날아오르는 것이 아닌가. 왜장이 신묘막측한 상황을 보고는 불을 끄도록 하자, 이번에는 극락강의 오리가 현판으로 날아들어 또렷한 글씨로 변모했다. 혹자들은 풍자와 영정의 글씨체가 미묘한 차이가 있는 것은 이 같은 전설에서 기이한 것으로 본다.

전설 셋. 이번에는 갈처사(葛處士) 이야기다. 명종은 누정 현판

을 무주 구천동에 있는 갈처사라는 기인에게 받아 걸라고 했다. 이에 칠계 김언거는 기쁜 마음으로 갈처사를 찾아간다. 그런데 갈 때마다 번번이 헛걸음을 하다가, 열네 번 만에 겨우 만날 수 있었다. 갈처사는 칡넝쿨로 만든 붓으로 글을 써주었다. 그러면서 "절대로 펴서는 안 되오."라고 했다.

돌아오는 길에 김언거는 자꾸만 펴보고 싶은 유혹을 참을 수 없었다. 별수 없이 봉투를 열었는데, 그 순간 '風' 자가 허공으로 사라져 버리는 것이 아닌가. 김언거는 황급히 갈처사에게 돌아가 다시 글씨를 써달라고 간곡히 부탁했다. 그러나 일언지하에 거절을 당하고, 때마침 갈처사의 제자가 '風'자를 써주었다. 아마도 그런 연유 때문인가 보다. 자세히 보면 '풍'자가 다른 '영'과 '정'자보다 글씨획이 조금 다른 느낌으로 다가오는 것이다.

전설 두 번째와 세 번째는 『풍영정시선』에도 간략히 기록돼 있다. 앞서 언급한 전설 외에도 풍영정에 오는 이들은 나름대로 서사를 만들 수 있다. 텍스트는 정해져 있지 않다. 정해진 규칙도 없다. 이야기는 풍영정의 문화를 더욱 풍성하게 만들 수 있는 재료이자 양념이다. 극락강의 무궁무진한 강줄기처럼 끊임없는 이야기의 줄기가 마르지 않고 이어질 것이다. 누정을 아끼고 이를 실답게 보존하려는 이들의 정성이 있는 한, 오늘의 이야기는 강물을 따라 수백 리, 수천 리까지 이어지리라.

6
풍영정에서 생각하다

　풍영정에서 생각한다. 혹여 이곳 어딘가에 극락이 존재할 것도 같다는 것을. 극락강이 바라보이는 이곳에 정자를 세운 칠계 김언거에게 극락은 무엇이었을까. 그의 생각을 알 수는 없다. 다만, 눈앞에 펼쳐진 무등산과 극락강을 바라보며 물욕 없는 유유자적한 삶을 상정했으리라 짐작한다.

　사계의 변화에 따라 펼쳐지는 풍상은 오묘하고 아름다웠다. 봄이면 어지러이 피는 꽃무리와 여름이면 들이치는 시원한 빗줄기, 가을이면 붉게 물들어가는 형형색색의 단풍잎, 겨울이면 강가에 펼쳐지는 흰빛 설원의 세상은 최고의 호사였을 것이다. 가까운 벗이 찾아오거나, 먼 곳 문사들이 내왕하면 술잔을 기울이며 생의 희로애락을 시문으로 갈무리했으리라.

　물론 오늘의 시대 우리가 꿈꾸는 극락과는 다른 모습일 수도 있다. 그러나 자연에 묻혀 자연과 하나 되는 삶을 선택하는 것도 소담한 복 중의 복이 아니었을까. 극락은 바로 우리들 곁에 있다. 권력과 부와 세속의 틈바구니에 있는 극락은, 극락이 아니라 극락의 이름을 차용한 무간지옥에 가깝다.

해찰하듯 쉬엄쉬엄 극락강을 걷는다. 강 아래서 풍영정을 쳐다본다. 그러고 보니 지금껏 필자는 위에서 아래만을 바라보았던 것 같다. 눈을 들어 고개를 드니 저편이 또한 극락이다. 솔숲에 조금 가려진 정자의 처마가 고운 님 이마처럼 부드럽다. 위에서는 결코 보지 못했던, 아래에 서야만 볼 수 있는 미려한 풍경이 지는 햇살의 붉은빛을 받아 황홀하게 타오른다.

칠계 김언거 선생은 이곳에서 다른 무엇보다 자유로웠을 것 같다. 그는 걸림이 없는 온전한 자유를 누렸으리라. 자연에 귀의하는 이들은 자연이 베푸는 최고의 은전을 누리는데, 그것은 바로 바람처럼 무엇에도 예속되지 않는 무한의 경지다.

풍영정을 거쳐 극락강 이름을 딴 극락강역으로 간다. 그곳은 간이역이다. 역은 광산구 신가동 신가병원 인근에 자리한다. 큰 도로에서 안쪽으로 면해 있어 무심히 지나치면 보이지 않을 정도다. 풍영정에서 걸어서 5분여 거리. 1922년 설치된 이곳은 광산이 광주로 편입되기 이전에는 꽤나 활기를 띠었다고 한다. 송정리를 거쳐 목포나 서울로 갈 경우 이곳은 반드시 지나쳐야 할 길목이었다. 마치 풍영정이 나주와 장성, 함평을 가기 위해 들러야 하는 관문이듯이. 그러나 지금은 목포 방면으로 출퇴근하는 50여 명의 승객이 이용할 정도로 한미한 수준이다.

극락강역 역사(驛舍)는 옛날 슬레이트집을 연상할 만큼 작고 소박

하다. 가을의 분위기가 물씬 풍긴다. 불어오는 바람에 역사 주위의 작은 나무들이 흔들린다. 한 시절 정열에 불타올랐을 나무들도, 화분의 꽃들도 이제 세월 따라 야위어갈 것이다. 산속의 정자가 풍영정이라면 간이역은 변두리의 서정이 깃든 누정이라고 할 수 있다.

역사에 반짝 활기가 돈다. 기차가 곧 들어올 시간이다. 이름 모를 새가 운다. 손님들 어서어서 오라고 목청을 돋운다. 잠시 머물다 떠나는 간이역 너머로 그렇게 우리네 시절은 무심히 지나가고 있다. 저 멀리 풍영의 누정이 솔숲에 가려 흔들린다. 이곳이 정녕 낙원인가. 실재하는 공간인가. 가을 풍경이 물 그림자에 어리며 달뜬 미소를 연신 흘린다.

『풍영정시선』에 실린 풍기군수 주세붕의 시로, 이 글을 마무리할까 한다. 「규암의 풍영정 시에 차운하여 삼가 칠계 선생께 드리다」라는 제목의 글이 오랜 여운을 준다. 맑은 강물이 술잔에 어리는 투명한 하늘빛 같아 두고두고 눈길이 간다. 아서라, 우리의 극락은 바로 우리가 발 딛고 선, 우리들 세상이려니 싶다.

행할 만하면 행하고 또 떠나야 하면 떠나려니	可行行又可休休
얻지 못해도 기쁘게 여기는데 잃은들 어찌 걱정하랴?	得來爲欣失意愁
대낮에 안개와 놀이 서석산에서 일어나고	白日煙霞生瑞石
푸른 봄에 살매기와 백로가 평주에서 즐겁게 논다	靑春鷗鷺樂平洲
목욕하고 돌아가며 시 읊는 곳에 바람이 먼저 이르고	浴歸永處風光至
술 취하여 자려 할 때 객은 머물지 않네	醉欲眠時客不留

산수의 끝없는 경치를 앉아서 생각하니   坐想湖山無盡藏

몇 사람의 아름다운 시구가 오래도록 감동케 한다   幾人佳句動千秋

참고문헌

광산김씨칠계공문중, 홍순만 번역, 『風詠亭詩選』, 호남문화사, 2007.

광산김씨칠계공문중, 『漆溪遺集』, 호남문화사, 2004.

김중엽, 『江湖漫詠』, 광산김씨칠계공문중 편집발행, 호남문화사, 2011년.

권수용, 「광주 風詠亭의 문화사적 의의」, 『정신문화연구』(2009년 가을호, 제32
       권 제3호 통권 116호)

김훈, 『자전거 여행』, 생각의 나무, 2000.

박성천, 『강 같은 세상은 온다』, 문학들, 2011.

『창평향교지』, 「각성씨입향사」, 광산김씨.

李鼎運, 「풍영정 跋」, 『漆溪遺集』, 1793.

『광산김씨녹사공파보』 권6.

『명조실록』, 명종 7년 2월 14일, 10년 11월 18일, 15년 11월 16일

행할 만하면 행하고 또 떠나야 하면 떠나려니

얻지 못해도 기쁘게 여기는데 잃은들 어찌 걱정하랴?

대낮에 안개와 놀이 서석산에서 일어나고

푸른 봄에 갈매기와 백로가 평주에서 즐겁게 논다

피안의 세계를
찾아가는 풍영정

    풍영정은 달이 차오를 때 오르는 것이 제격이다. 예전의 만월은 무등산을 타고 넘어왔겠지만 오늘의 달은 하늘에만 있는 것이 아니다. 밤새 꺼지지 않는 도심의 불빛도 또 하나의 달이 된다. 그 달은 강 하나를 사이에 두고 이쪽과 저쪽 세상이 얼마나 다른지 보여주는 지표가 된다. 그래서인지 이향아 시인은 풍영정 아래에 흐르는 강을 두고 성과 속, 이승과 저승, 천국과 지옥을 연상하는 「극락교를 지나며」라고 노래했다. 저 강의 이쪽이 극락인지 아니면 이곳 밖이 극락인지는 찾는 이의 생각에 따라 다르리라.

    풍영정은 전형적인 '수석정'이다. 발 아래로 강물이 흘러 세상을 반추해주고, 영원히 변치 않는 성정을 지닌 바위 암반이 언덕을 이루는 곳에 살포시 누정을 얹어 놓았다. 정자는 사면이 트여 있다. 바닥은 마루인데, 북사면에 산자락이 있어 겨울 시린 바람이 정자 안으로 직면하는 것을 피했다. 자연을 소유하려 하지 않고 몇 개

기둥으로 병풍이나 액자 같은 풍경을 완상했던 선조들의 풍류이자 우리 정자의 아름다움이라 할 수 있다.

지난 시절과는 달리 이제 풍영정 뒤편 산자락에는 아파트 숲이 들어섰고, 남동쪽으로 나룻배가 다녔던 곳에는 철길이 놓여 있다. 누정의 발아래를 치고 들어왔을 공격 사면의 암반 위에는 도로가 놓여 차들이 내왕한다. 지난날 저 정자 하나로 강변의 랜드마크가 되었을 법한 자취는 상상 속에서나 가능할 뿐이다.

초입에 들어서면 비스듬히 계단이 있고, 중간쯤에 굵은 철사로 만든 창살문이 닫혀 있다. '문이 닫혀 있으니 들어오지 말라는가 보다.'하고 돌아설 법한데, 유심히 보면 동심원을 그리는 열쇠는 돌리면 쉽게 열리도록 되어 있다. 이만한 관찰력과 기다림이 없는 이들은 들어올 자격이 없다는 뜻인가.

문을 열고 마저 계단을 오른다. 방이 없는 정자는 길쭉한 사각을 이루고 있다. 북으로 들어와서 동쪽과 남쪽을 보도록 배치되어 있다. 뜨락에서 바라보이는 강산은 널따랗게 펼쳐져 있다. 극락강의 이곳을 옛 사람들은 칠천이라고 하고, 요즘 사람들은 풍영정천이라 한다. 빛나는 물비늘이 아름다운 곳이다. 물을 바라보며 마음의 티끌을 벗어내기에 안성맞춤인 곳이다.

편액을 바라본다. 수많은 인걸들이 이곳에 와 노래한 흔적이다. 타임캡슐과 같은 글 안에서 이곳을 조성했던 이의 족적을 찾아본다. '맑은 바람을 즐기며 읊조리겠다.'는 풍영정은 김언거라는 명징했던 선비의 삶과 닿아 있다. 그랬기에 당대 수많은 명현들의 글이

70여 편이나 걸려 있는 것이다. 설핏 보더라도 퇴계 이황이나 백운 동서원의 주세붕, 동방 18현의 하서 김인후, 사단칠정론의 고봉 기대승, 면앙정 송순, 제봉 고경명 같은 분들의 글이 눈에 들어온다. 중종 때부터 선조 때까지 동시대를 대표하는 학자들이 이곳의 아름다움과 주인을 칭송했던 증좌이다. 한석봉은 이곳을 일컬어 '제일호산'이라는 글까지 남기며 주인과 경관을 찬탄했다.

　풍영정에 얽힌 전설도 흥미롭다. 임진왜란 때 정자에 불이나자 현판의 바람 풍(風) 자가 오리로 변해 불을 끄고는 다시 제자리로 돌아갔다는 이야기다. 옛사람들은 마을 앞에 솟대를 세워 인간의 염원을 하늘에 전하고자 했는데, 그 메신저가 오리였다. 계절이 바뀌어 오리가 보이지 않으면 이들이 속세의 삶을 하늘에 전하러 갔다고 믿었다. 바닷가의 솟대에 물고기가 물려 있고, 농촌의 그것에 벼 낟가리가 물려 있는 이유도 풍년을 바라는 희구의 뜻이었다. 솟대는 또 화기가 많은 곳에도 세웠다. 오리는 땅은 물론 하늘과 물속까지 다니기에 화마를 제압해 줄 것이라고 믿었던 것이다. 사정이 이러하니 바람 풍 자가 오리로 변해 불을 껐다는 이야기에는 어느 정도 개연성이 있다고 할 수 있겠다.

또 하나 전설은 이렇다. 칠계 선생이 풍영정 글씨를 얻으러 무주의 갈처사에게 갔다. 갈처사는 글을 써주면서 당도하기 전까지는 절대 펴 보지 마라고 했다. 궁금증을 못 이긴 선생이 도중에 글씨를 펴는 순간 '풍' 자가 그만 날아가 버렸다. 선생은 하는 수 없이 갈처사의 제자에게 '풍' 자를 얻어야 했는데, 그런 연유로 현판의 '풍'과 '영' 자의 서체가 다르다는 설화이다. 이런 이야기를 음미하면서 풍영정에 머무르다 보면 그 옛날의 풍경이 아스라이 펼쳐지는 듯하고, 선비들의 두런거리는 소리도 어느새 귓가에 맴도는 것 같다.

여행팁

풍영정은 여름에서 가을로 넘어가는 계절이나 은행나무와 느티나무가 그 잎을 떨어뜨리는 11월께가 적격이다. 각박한 현실에서 벗어나 잠시 주위를 돌아보게 되는 철이 그 무렵이기 때문이다. 벼랑 위에 있는 듯하지만 막상 올라서면 넓고 평평한 곳에 정자는 자리한다. 사방이 시원하게 열려 있어 극락강의 물비늘을 보고 나를 반추해 보거나, 저 멀리 무등산의 자태에 눈길을 주어도 좋다. 저만큼 철교를 달려가는 기차를 보면 문득 어디론가 떠나고픈 충동이 일지도 모른다. 그 마음 추스르라고 누정 현판에는 이곳의 경관을 노래한 시들이 가득하다. 전설이 깃든 풍영정의 글씨와 조선의 명필 한석봉의 '제일호산'을 뚫어지게 바라보면 이윽고 현실의 세계가 나를 기다림을 알아차린다.

풍영정風詠亭
현판

풍영정 <small>바람 풍風, 읊을 영詠, 누정 정亭</small>

누정의 이름 '풍영(風詠)'은 『논어(論語)』에서 비롯된 말이다. 일찍이 공자가 제자들에게 소원을 묻자 증점(曾點)이 대답하기를, "기수(沂水)에서 목욕을 하고 나서 '무우(舞雩)'에서 바람을 쐬면서 시를 읊으며 돌아오고 싶습니다/풍우영귀(風雩詠歸)'"라고 대답하였던 데서 유래하였다. 여기에서 이 말이 '자연 속에 살면서 시가를 읊는다.'는 뜻으로 확대되어 사용되었다.

이 현판 글씨에 대하여 갈처사(葛處士), 황처사(黃處士)가 쓴 것이라는 전설이 내려오고 있다. 누정 옆에 그 유래비가 서 있다. 누정에는 풍영정이란 현판이 두 개가 있는데, 앞에 있는 현판은 원래 안에 있던 현판을 약간 확대하여 다시 만들어 붙인 것이다.

제일호산
第一湖山

　'첫째가는 아름다운 물과 산'이라는 말이다. 풍영정 앞의 영산강
과 멀리 무등산이 가장 아름답게 보이는 곳이라는 의미이다. 이 현
판 글씨는 조선 전기의 명필 한석봉[韓石峯, 이름은 한호(韓濩),
1543~1605]가 쓴 것이라고 전해 오고 있다.

계진정에 쓰다[1]
題季珍亭

반나절을 노닐면서 모든 일을 쉬었는데	半日偸閑萬事休
멀리 봄빛 바라보니 근심이 더해지네	天涯春色逈添愁
산은 도화동을 원근으로 에워 있고[2]	山圍遠近桃花洞
물은 두약주를 동서로 흐르고 있네[3]	水散東西杜若洲
시종하는 일 오래 비우고 노닐기 어려우니[4]	侍從久虛難浪跡
임천이 아름다워도 오래 머무를 수가 없네	林泉雖美莫淹留
늙어가는 나는 고향으로 돌아감이 늦어지는데	白頭如我歸田晚
장한의 외로운 배 가을을 기다리지 않았다지[5]	張翰孤舟不待秋

규암[6] 圭菴

관찰사 시에 차운하다[7]
次使相韻

허공을 눈으로 힘껏 멀리 바라보니[8]	憑虛眼力騁無休
어느 누가 맑은 마음에 시름이 생길 것인가	誰向淸心着箇愁
만 겹 먼 봉우리는 넓은 들을 에워싸고	萬疊遙岑圍闊野
한 줄기 찬 물줄기는 긴 모래사장을 둘렀구나	一條寒水繞長洲
봄바람 불어오는 오늘에야 겨우 흥을 내었으니	春風此日堪乘興
귀한 손님에게 석양이 다시 머물라 하네[9]	玉節斜陽更勸留
조만간 돌아가 쉬면 모두 정해진 곳이 있으려니	早晩歸休皆有地
안개 낀 물결 왕래하며 어느 가을을 기다릴까	烟波來往待何秋

면앙[10] 俛仰

삼가 차운하여
敬次

십 년간 명리의 길이라 마음 편히 쉬지 못하다가	十載名途苦未休
높은 정자에 올라보니 한기로운 마음 일어난다	高亭一上起閑愁
저문 산 봄의 흥취는 안개 낀 들에 아련하고	暮山春興迷煙野
대숲 차가운 빛은 백로섬을 둘렀구나	竹屋寒光帶鷺洲

세상사 그 당시에는 명리만 따르는 게 슬프지만　世事當年悲汨沒
공을 이룬 어느 날에는 머무를 수 있겠지　功成他日此淹留
피리와 노랫가락 멀리 퍼지자 술잔이 비는데　笙歌迥發杯心亞
문득 가을날에 흥금 털어짐을 알겠구나[11]　斗覺匈襟拂素秋

도사 이사필[12]　都事 李士弼

---

1 '계진'은 김언거(金彦琚, 1503~1584)의 자(字)이고, 그의 호는 칠계(漆溪)이다. 덕망이
　높은 김언거가 낙향을 하자 그를 따르던 주변의 사람들이 12채나 되는 정자를 지었다
　고 한다. 하지만 풍영정 이외 11채의 누정들은 임진왜란 때 소실되었다고 전해 온다.
2 도화동(桃花洞)은 당시 김언거가 살고 있던 풍영정 근처의 마을이다.
3 두약주(杜若洲)는 아름다운 풀이 나있는 물가를 가리킨다. 두약은 향초(香草)인데 물
　가에서 난다.
4 시종(侍從)이란 임금을 모시고 있던 관리를 가리키는 말이다. 흔히 관직에 있음을 나
　타내는 말이다.
5 진나라 사람 장한(張翰)은 벼슬에 있다가 가을바람이 불어오자 고향의 삶을 그리워하
　여 자리를 버리고 떠났다.
6 '규암'은 송인수(宋麟壽, 1499~1547)의 호이다. 조선의 문신으로 1541년에 전라도
　관찰사가 되었는데, 이 시는 그 당시 지어진 시이다.
7 사상(使相)은 전라도 관찰사 송인수를 가리킨다. 그의 시에 차운하여 짓는다는 말이다.
8 빙허(憑虛)는 허공을 의지한다는 말이다. 소식의 「전적벽부(前赤壁賦)」에 "넓기는 마
　치 허공을 타고 바람을 몰아가다(浩浩乎如憑虛御風)" 라고 하였다.
9 옥절(玉節)은 옥으로 만든 부신(符信)인데, 예전에 관직을 받을 때에 증서로서 받았
　다. 흔히 관리를 가리키는 말이다.
10 송순(宋純, 1493~1582)의 호이다. 당시 규암, 면앙, 수은이 함께 풍녕성을 올라왔음
　을 알 수 있다. 이 시는 그의 문집 『면앙집(俛仰集)』에 계미년(1543년)에 지은 것으로
　되어 있다.
11 두각(斗覺)은 갑자기 깨달음을 말하고, 소추(素秋)는 가을을 달리 일컫는 말이다.
12 이사필(李士弼, 1503~1556)의 호는 수은(睡隱)이다. 중종 38년(1543년) 전라도 도사
　가 되었는데, 관찰사 송인수(宋麟壽)가 신임하여 지방을 순시할 때 늘 그와 동행하였
　다고 한다.

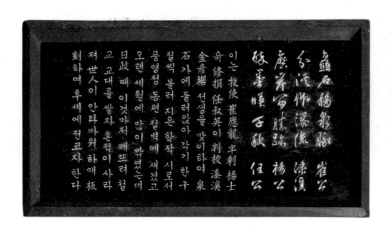

우뚝 솟은 바위 샘 줄기로 옮겨와	矗石移泉脉	崔公
시내를 나누어 폭포처럼 흐른다	分溪作瀑流	漆溪
벼랑에 글을 새겨 뛰어난 자취 남기니	磨崖留勝跡	楊公
취흥으로 쓴 글씨 천추에 빛나리[13]	醉墨暎千秋	任公

---

13 위의 합작시는 목사 최응룡, 칠계 김언거, 반자 양사기, 수찬 임숙영 등 4명이 한 구절씩 지은 시이다. 이 시의 유래는 현판에 설명이 되어 있듯이, 바위에 새겨져 있던 시였다. 바위를 깨트리는 바람에 그 시가 사라져버리고 만 것을, 수습하여 현판을 만들어 걸어 두었다.

풍영정 십영[14]
風詠亭十詠

선창에 배 띄우고 선창범주

仙滄泛舟

백 길이나 되는 풍담 유월에도 가을인데[15]	百丈風潭六月秋
정자 앞에 어느 누가 목란주를 띄웠는가[16]	亭前誰泛木蘭舟
안개 낀 강 조각배에 진인이 누워 있어	煙江一葉眞人臥
은하수 위에 노를 저어 나그네 떠도는 듯	雲漢枯槎海客浮
한밤중 외로운 학은 울면서 날아가고	夜半飛鳴橫獨鶴
물결 사이 들고 나는 갈매기 사뿐하구나	波間出沒有輕鷗
선창의 늙은이를 찾아가려 생각하니[17]	船窓擬訪仙滄叟
꿈에 그리듯 두약주를 오래도록 맴도네	魂夢長尋杜若洲

현봉의 달맞이 현봉요월

현봉요월 부분은 작은 글씨

칠계의 동쪽에는 현봉이 있다고 들었는데
이름만 듣고도 만 길이나 높은 걸 알겠네
산 너머 거꾸로 비친 그 모습 비록 바다에 솟았으나
반 바퀴는 잠겨 있어 미처 공중에 못 오르네
잔을 멈추고 몇 번이나 아득한 곳에 물었던가
아득한 저 속에서 약을 찧는 일 몇 해던가[18]
차고 기우는 모습 세상에는 기쁘고 슬프고도 하지만
밤이면 밤마다 둥그렇지 않은 적이 없을 거야

懸峯邀月

懸峯聞在漆溪東
揭號遙知萬丈崇
倒影隔山初出海
半輪涵際未騰空
停杯幾問蒼茫外
擣藥多年縹緲中
盈缺世間輕喜戚
只應無夜不圓融

서석산의 맑은 구름[19] 서석청운

용이 난 듯 범이 엎드리듯 홍몽에 접하여[20]
둘러 읍하는 여러 성 그 형세 더욱 웅장하네
쌓인 기운 불어오니 비를 빌리지 않고도
하늘 가득히 흩어져서 저절로 바람이 이네
봄의 신 모든 깃발 그 모습 단정하니[21]
신선이 사는 천상계와 수레길이 통하였나
무심히 걷히다가 펴지다 천지가 늙었는데
바라보니 산 빛은 예나 지금이나 한가지라네

瑞石晴雲

龍飛虎伏接鴻濛
拱揖連城勢轉雄
積氣吹噓非假雨
滿空披拂自生風
東君旗旆威儀整
上界車輿道路通
舒卷無心天地老
坐看山色古今同

금성에 눈 개이고[22] 금성제설

남쪽 바다 이름난 산 금성이라 말하는데
한겨울 서쪽 바라보니 옥처럼 우뚝 솟았네
아침 햇살 흩어져 비치면 고운 빛으로 엉기고
밤경치 뒤섞이어 멀리 밝은 빛 비치네[23]
약수 삼천리에 신선의 궁궐이 솟아나온 듯
층루 열두 난간 제향이 맑디맑아[24]
시원하게 홀로 서니 속세를 벗어난 듯
쓸데없이 대안도를 찾아갈 필요 없네[25]

錦城霽雪

南海名山說錦城
天寒西望玉崢嶸
朝輝散射先凝彩
夜景交加遠徹明
弱水三千仙闕聳
層樓十二帝鄉清
脩然獨立如遺世
不用區區訪戴行

월출산의 짙은 노을 월출묘애

기이한 봉우리 다투듯 남쪽 하늘에 솟아나니
푸른 옥비녀가 눈에 가득 들어오네
기운 서려 바닷가 누각에서 겹겹이 쌓여 있고
향로에서 연기 날리며 한들한들 춤을 추듯[26]
말끔한 붕새 부리 잠깐 보였다 사라지니[27]
빗질한 소라 머리인 듯 두세 봉우리
웃노라 평천에서 사사로운 돌조각이라니[28]
어찌 일찍이 구름 점유하여 움직이는 그림 그렸나

月出杳靄

奇峯競秀際天南
滿眼參參綠玉簪
氣結海樓昇疊疊
香飄鑪篆舞毿毿
浴褰鵬噣乍明滅
梳洗螺鬟時兩三
却哂平泉私片石
何曾活畫占雲嵐

나산의 시골마을 _{나산촌점}

누정의 앞에는 넓은 들녘이 있고
한 가닥 소 울음소리 너머로 작은 봉우리[29]
둥근 소라 껍질처럼 담과 집들이 잇달아[30]
벌집같이 얽혀 있어 다르기도 같기도
새벽부터 저녁 계절마다 뽕나무와 삼밭 일구고[31]
아침부터 저녁 굴뚝 연기는 봄에서 겨울로 이어지네
비 온 뒤에 강남 길을 다시금 생각하다
그곳을 바라보니 분명히 석양빛이 붉었구나

양평의 많은 농사 _{양평다가}

광주와 나주 넓은 들은 속담으로도 전하는데
북쪽 길과 동쪽 길 아스라이 보인다네
봄갈이에 물이 가득 강처럼 넘실대고
바람은 높고 가을 깊어 변방의 구름 이어지네
남쪽 하늘 경치 속에 농부가 주고받더니[32]
과부들은 양식하려 남은 이삭 주워 가네
닭을 잡고 술을 마시며 가을 노래 부르다가[33]
촌 늙은이 사또의 술자리에 취해서 쓰러지네

羅山村店

亭子前頭大野中
一牛鳴外小孤峯
環回蠔殼連墻屋
點綴蜂房多異同
早晚桑麻占節候
朝昏煙火閱春冬
翻思雨後江南路
望裏分明夕照紅

楊坪多稼

光羅廣野諺流傳
北陌東阡望渺然
水滿春耕江漢浩
風高秋熟塞雲連
農謳互答炎天景
滯穗分沾寡婦饘
白酒黃鷄歌蟋蟀
村翁醉倒使君筵

유시의 긴 숲[34] 유시장림   柳市長林

동쪽 성을 가리키며 바라보니 아득한데   指點東城一望悠
들판 너머 아스라이 문루가 비치네   依依野外映門樓
연기는 아름답게 물들지만 관여하는 이 없고   煙條弄色無人管
솜털 버들개지 공중에 날리며 거리낌도 없네[35]   暖絮翻空不自由
얼굴에 바람 불어오니 시흥이 일어나서   吹面風來詩興嫋
'절지가'를 끝내는데 나그네 길은 멀어라[36]   折枝歌罷客程脩
맑은 서리 한밤중에 흔들려 떨어지더니   清霜半夜驚搖落
눈 내린 뒤 멋진 모습 옥더미가 엉겨 있네   雪後奇觀萬玉璆

수교에서 봄을 찾아 수교심춘   繡郊尋春

손에 들듯 남쪽 교외 냇가 너머 있는데   南郊如掌隔前川
사랑스런 봄풀은 수놓은 비단 같아   最愛春莎錦繡鮮
청주 탁주 술이 익어 이웃들이 함께하니   酒熟聖賢隣曲共
홑옷 겹옷 만들어져 관동이 어울렸네   服成單袷冠童聯
햇살 아래 바람 이니 연기가 아름답고   風翻日脚煙光嫩
산 얼굴에 꽃이 비쳐 새소리도 고와라   花映山顏鳥語妍
천 년 전 기수 위에서 내가 증점과 더불어   沂上千年吾與點
함께 풍영을 하였을 테니 흥취가 아득하여라   一般風詠興悠然

원탄에서 낚시하다[37] 원탄조어 　　　　　院灘釣魚

옛 원은 황량하고 들 가운데 물만 흘러가는데	古院荒涼野水橫
여울 소리 들으면서 몇 사람이나 지나갔나	灘聲閱盡幾人行
낚싯대 잡고 길을 따라 푸른 들에 들어가서	持竿路入靑郊熟
낚시를 마치면 때로 떠오르는 흰 달을 본다네	罷釣時看皓月生
가는 비는 바람에 실려 삿갓 끝에 비끼면서	細雨斜風蓑笠晚
온 산에 만 갈래 길에 눈꽃이 피었겠지	千山萬逕雪花明
가는 노래 느린 박자에 한가로이 돌아가니	微吟緩節閒歸去
그 당시 천상의 마음이 상상이 되는구나[38]	想像當年川上情

하서[39] 河西

---

14 풍영정을 노래한 제영시로 하서 김인후, 석천 임억령, 퇴계 이황 등이 지은 풍영정에서 바라보이는 열 가지 아름다운 경치를 읊은 시이다. 다른 이름으로는 「칠계십영(漆溪十詠)」이라고도 하였다.

15 풍담(風潭)은 바람이 이는 연못이다. 풍영정 앞의 '칠계'를 가리키는 말이다.

16 목란주(木蘭舟)의 뜻은 '목련을 깎아서 만든 배'인데, 나중에 아름다운 작은 배를 가리키는 말로 사용되었다.

17 선창의 늙은이는 풍영정 주인 김언거를 가리키는 말이다.

18 도약(擣藥)은 약을 찧는다는 말로 "달 속에는 무엇이 있는가? 흰 토끼가 약을 찧고 있나네(月中何有, 白兎擣藥)."라는 옛말이 있다.

19 서석산(瑞石山)은 무등산의 다른 이름이다.

20 홍몽(鴻濛)은 아득하고 높은 하늘을 가리키는 말이다.

21 동군(東君)은 봄의 신이다. 음양오행에서, 동(東)을 '봄'에 대응시켜 봄을 맡고 있는 신을 나타낸 말이다. 바람이 불어 나무들이 깃발처럼 단정하게 기운 모습이다.

22 금성(錦城)은 전라남도 나주 지역의 옛 지명이다.

23 교가(交加)는 서로 뒤섞인다는 말이고, 철명(徹明)은 하늘이 밝아올 때까지를 뜻하는 말이다.

24 제향(帝鄉)은 옥황상제가 사는 곳이다.

25 대안도(戴安道)는 대규(戴逵)를 가리키는데, 중국 동진 시대의 화가이자 조각가이다. 왕자유(王子猷)가 산음(山陰)에 살 때 밤에 큰 눈이 내리자 갑자기 섬계(剡溪)에 있는 대안도(戴安道)가 생각나 배를 타고 찾아갔다가 그의 문 앞에 이르러 뱃머리를 돌려 돌아왔다고 한다. 흥이 나면 찾아가는 아름다운 곳, 또는 좋은 친구라는 뜻으로 쓰인다.

26 노전(鑪篆)은 흔히 향로 속의 연기가 올올이 피어오르는 모습으로 구불거리는 전서체와 같다는 말이다. 월출산의 안개가 향로에서 피어오르는 연기처럼 보이는 걸 말한다.

27 봉새부리는 월출산 정상의 바위들을 말하는 것이다.

28 평천은 당(唐)나라 이덕유(李德裕)의 유명한 별장 평천장(平泉莊)을 말한다. 그러나 월출산과 비하면 조그만 정원의 돌조각들이었을 것이라는 말이다.

29 풍영정에서 바라보이는 나산(羅山)을 말한다.

30 호각(蠔殼)은 소라의 껍데기. 다닥다닥 붙어 있는 모습을 말한다.

31 상마(桑麻)는 도잠(陶潛)의 「귀전원거(歸田園居)」에 나오는 말이다. "만나면 쓸데없는 말 않고, 뽕나무와 삼이 자라는 것만 말하네(相見無雜言, 但道桑麻長)."라고 하여 전원생활, 혹은 그 생활의 한가로움을 표현하였다.

32 농구(農謳)는 농부가이다. 염천(炎天)은 몹시 더운 날씨인데, 남쪽 하늘을 가리키는 말이다.

33 실솔(蟋蟀)은 귀뚜라미이다. 가을의 소리가 들린다거나, 가을 노래를 부르는 것을 말한다.

34 유시(柳市)는 버들이 우거진 거리를 뜻하는 말인데, 광주 서쪽의 버드나무가 심어졌던 곳을 가리킨다.

35 문집에는 다음처럼 주가 붙어 있다. 제 일련은 한편으로 '연기 가지 무럭무럭 봄빛이 떠오르고, 따뜻한 솜 나풀나풀 저문 강에 휘날리네(第一聯一作, 煙條冉冉浮春色, 暖絮扁扁颺晩洲).' 라고 하였다.

36 절지가(折枝歌)는 이별의 노래라는 뜻이다.

37 원탄(院灘)은 극락원(極樂院) 앞의 영산상을 말한다.

38 '천상(川上)의 마음'이란 『논어』「자한」편에 나오는 말로, 공자가 흐르는 물을 바라보며 '흘러가는 것이 이와 같구나, 밤낮으로 쉬지 않는구나.'라고 하였다는 마음이다.

39 하서는 김인후(金麟厚, 1510~1560)의 호이다. 조선 전기의 문신 학자로, 장성 필암서원에 배향되어 있다. 무등산권에 대한 많은 시를 남겼는데, 특히 「소쇄원48영」 등 수많은 누정제영시가 있다.

선창에 배 띄우고 선창범주   仙滄泛舟

하얀 마름 붉은 여뀌 해 저문 가을 강에	白藻紅蓼暮江秋
생계는 쓸쓸하여라 작은 배 한 척이라니	生計蕭然一小舟
처음에는 그저 쉽게 건너는 줄 알았는데	初有意時思濟渡
가운데 이르기도 전에 부침에 몸을 맡기네	到無心處載沈浮
돛 달고 먼 하늘가 내리는 비를 피하며	落帆望暫天邊雨
모래사장 갈매기 놀랄까 느릿느릿 노젓네	後棹恐驚沙上鷗
살아온 생애 아직 충분하지 않은 건지	作箇生涯猶未足
그대와 함께 세상 밖 선경을 찾아가는 듯[40]	與君天外訪瀛洲

현봉의 달맞이 현봉요월　　　　　　　　　懸峰邀月

만 리 긴 바람 불어 동쪽 하늘 쓸어내리는데　　　長風萬里掃天東
대지팡이 끌면서 나 홀로 높은 곳 오른다네　　　獨曳枯筇陟彼崇
구름 밖으로 살짝 떠오르는 쟁반 같은 달　　　雲外微昇銀禾灩
하늘 가운데 빈 옥항아리 외로이 걸린 듯　　　天心孤掛玉壺空
산천은 서로 떨어져 타향처럼 멀지만　　　山川相隔他鄕遠
그대와 나는 같은 달을 바라보고 있겠지　　　君我同看一照中
들으니 봄이 되면 대규 찾는 걸 생각한다는데[41]　　　聞說春來思訪戴
대가마는 얼음이 녹아야 갈 수 있을 걸　　　竹輿須趁凍初融

서석산의 맑은 구름 서석청운　　　　　　瑞石晴雲

누가 저 멋진 옥순을 하늘에 꽂았을까[42]　　　誰將玉筍揷鴻濛
천 길 높이 우뚝 속세에서 벗어나 웅장하구나[43]　　　千丈巍巍拔俗雄
좋은 건 한가하게 구름이 피어나는 것인데　　　最愛無心閑出岫
바람 따라 수시로 변하는 모습도 예쁘구나　　　更憐多態細隨風
멀리 둥지의 학은 아마 깃털이 젖었을 텐데　　　遙知巢鶴衣猶濕
생각하니 돌아가는 스님 길은 막히지 않았을까　　　想見歸僧路不通
기이한 모습 우리들이 대하기에 꼭 맞으니　　　奇狀正宜吾輩對
그 자리에 그때 함께했던 때를 그리워한다네　　　相思卽席歲時同

금성에 눈 개이고 금성제설

하늘 가로 삥 둘러서 줄지은 성인 듯한데
층층이 어두워지며 아득히 높은 산과 만나네
울창한 숲에 불던 삭풍 비로소 잠잠해지고
겨울 해 살며시 떠오르니 온 산이 밝아오네[44]
문을 닫고 온종일 눕더라도 괜찮고
어깨를 펴니 가슴 가득 맑아짐을 깨닫겠네
나는 상자 속에 왕공의 학창의 있으니[45]
우리 상봉에서 만나면 달빛 밟고 거닐세

錦城霽雪

天際週遭比列城
層陰迢遞接崢嶸
朔風初靜千林亞
寒旭微生萬岫明
閉戶不妨終日臥
聳肩重覺滿懷淸
篋中我有王恭氅
會上峰頭踏月行

월출산의 짙은 노을 월출묘애

금강산 한 줄기 남쪽 하늘로 뻗어 내려
금오 정상 꼭대기에 비녀를 깎아 꽂았다네[46]
저녁 기운 가득 맺혀 가랑비 날리고
바위에 핀 꽃 붉게 적시며 살며시 떨어지네
아득한 옥정에는 아홉 봉우리 있다는데[47]
아스라한 산봉우리 바다 위로 셋이라네
여기에서 젊은 시절 시를 읊었던 곳이라
지금은 다시 꿈속에서 노을 찾아간다네

月出杳靄

金岡一脈落天南
削出金鰲頂上簪
夕氣霏微凝滴滴
巖花紅濕拂毵毵
依稀玉井峰頭九
漂渺仙岑海上三
此是少年吟嘯處
至今魂夢逐煙嵐

나산의 시골마을 나산촌점   羅山村店

오랜 세월 한 곳에 단란하게 모였는데   百年相聚一墟中
땅의 형세 높고 험한 강학의 봉우리네[48]   地勢嶔岑强學峰
혼처는 일찍이 다른 데서 찾은 적 없으므로   婚嫁不曾他處問
있든 없든 오래도록 가까운 이웃처럼 여겼네   有無長與近隣同
닭이 울어대자 곧 초가집에 날이 밝아오고   鷄鳴茅屋天將曉
흰눈 덮인 사립문엔 겨울이 이미 깊었네   雪滿柴門歲已冬
좋은 건 그림 같은 곳을 바라보는 것이니   最是望來如畵處
짧은 지팡이 짚고서 붉은 석양을 마주한다네[49]   短筇斜對夕陽紅

양평의 많은 농사 양평다가   楊坪多稼

서늘한 가을바람이 벼 익은 향기 전하더니   凉風一路稻香傳
새벽녘 새우 수염에 이슬 머금어 늘어졌네[50]   晚蟬鰕鬚露泫然
산골 물은 저절로 많아져 논밭 가득 채우고   澗水自添田水滿
언덕 위 구름 휘돌아 들녘 구름과 잇닿았네   壟雲還與野雲連
채마 밭에 올라가서 절구로 방아 찧어서[51]   登之場圃舂之杵
거한 자는 곳간에 쌓고 나그네는 죽을 먹네   居者積倉行者饘
예로부터 시인들은 실솔 노래 부르면서[52]   自古詩人歌蟋蟀
마을 잔치 술 취하여도 거리낌이 없을 거야   不妨爲酒醉村筵

유시의 긴 숲 유시장림

너른 들의 버드나무 아득히 보고 있자니
긴 세월 하늘하늘 누각을 가리고 있네[53]
안개 속의 꾀꼬리는 작은 고을에서 울고
비갠 뒤 날린 버들 솜 물가에 떨어지네
허리는 버틸 힘이 없어 서서히 휘어지고
눈썹 같은 잎 정이 많아 일일이 다듬었지[54]
여기는 왕유가 친구와 헤어지던 그 위성인지[55]
낮은 가지는 꺾이고 묵은 가진 굽었다네[56]

수교에서 봄을 찾아 수교심춘

작은 물줄기 졸졸 시내로 흘러 들어오는데
싱그런 숲 하늘하늘 새벽빛이 더욱 고와라
농민들은 나에게 비로소 봄이 왔노라 알리고
아이들은 수레 장막을 잇달아 따른다네[57]
새들은 때를 알아 아지랑이 너머 재잘대고
비 개인 저물녘 산의 모습 곱기도 하여라
여유롭고 상쾌함을 아는 사람 없어도
지팡이 짚고 하늘 바라보는 마음 아득하여라

柳市長林

平郊楊柳望悠悠
歲久依依漸掩樓
霧暗晚鸎啼小市
雨餘飛絮撲長洲
腰支無力垂垂嚲
眉葉多情箇箇修
此是渭城離別處
低枝攀折老枝樛

繡郊尋春

嫩水濺濺自入川
新林冉冉曉光鮮
農人告我春初及
童子巾車奉袂聯
好鳥知時煙外美
晚山多態雨餘妍
悠悠快活無人會
倚杖看天意渺然

원탄에서 낚시하다 원탄조어   院灘釣魚

넓은 모래밭 깨끗한데 작은 여울 흐르고[58]   平沙皎皎小灘橫

수많은 물고기들 떼를 지어 가누나   無數寒魚作隊行

병이 드니 높은 산에 진인이 될 생각 버리고   病棄高山眞得計

늙어서 어부 되었으나 생계 삼음이 아니라네   晚稱漁父未爲生

오랫동안 외진 곳에 동물처럼 숨어사니   百年地僻龍蛇蟄

광막한 세상 사람은 드물고 설월만 밝구나   萬頃人稀雪月明

위천 가에 낚시하던 노인을 닮지 마오[59]   莫效渭川川上老

지금도 새 물고기들 그 무정함 원망하나니   至今魚鳥怨無情

석천 「칠계십영」에 차운하다[60]   石川 次漆溪十詠韻

---

40 영주(瀛洲)는 옛날 신선이 살았다는 바다의 신산(神山)인데, 흔히 선경(仙境)을 가리 킨다.

41 대규(戴逵)는 중국 동진 때의 학자이다. 학자이자 화가, 조각가, 거문고의 명인으로 도 이름을 떨쳤다. 흔히 좋은 곳이나 좋은 친구를 찾아가는 것을 가리키는 말이다. 여기서는 현봉을 찾아가는 일을 말한다.

42 옥순(玉筍)은 옥으로 만든 죽순, 무등산의 산봉우리를 말한다. 홍몽(鴻濛)은 하늘과 땅이 아직 갈리지 않은 상태인데, 파란 하늘을 가리키는 말이다.

43 외외(巍巍)는 우뚝하게 높고 큰 모양이다.

44 한욱(寒旭)은 차갑게 솟이오르는 겨울 해를 가리키는 말이다.

45 왕공창(王恭氅)은 '왕공의 새 깃털 옷'이라는 말이다. 동진시대 왕공(王恭)이 신선술 을 닦고 학의 날개로 만든 옷을 입고 하늘을 날았다는 고사이다.

46 금오(金鰲)는 '금색의 자라'라는 말로, 금색 자라가 산을 이고 있다는 말에서 비롯되 어, 산이라는 뜻으로 널리 쓰이고 있다. 산 위의 바위가 옥비녀를 꽂은 것과 같다는 뜻이다.

47 월출산의 정상에는 아홉 군데 '옥정(玉井)'이 있고, 그 정상을 '구정봉(九井峯)'이라고 부른다. 또 '옥정(玉井)'은 옥정성(玉井星)이다. 서방칠수(西方七宿)의 제7수인 삼수 (參宿)에 딸린 ㄷ자 형태의 네 별로 우물을 주관하는 별자리로 여겨졌다.
48 금잠(欽岑)은 산이 높고 험하다. 강학(强學)은 학문(學問)에 힘쓰는 모습을 말하는 데, 붓을 세운 것처럼 보이는 산을 말한다.
49 단공(短笻)은 짧은 대지팡이를 말한다.
50 벼를 '수염 난 새우'라고 그리고 있다. 이슬에 젖어 벼가 늘어져 있는 모습을 말하고 있다.
51 장포(場圃)는 집에서 가까운 곳에 있는 채소밭이다.
52 실솔(蟋蟀)은 귀뚜라미이다. 가을에 부르는 노래라는 말이다. 농사를 지어 추수를 끝내고, 잔치를 벌여 술을 마시는 일을 말한다.
53 버드나무가 광주성의 성문을 가리고 있는 모습을 말한 것이다.
54 버드나무는 버틸 힘이 없어 허리가 휜다고 하였고, 눈썹 같은 잎도 버들잎을 말하는 것이다.
55 '위성'은 당나라 왕유(王維)의 「송원이사안서(送元二使安西)」에 나오는 말이다. 이를 '위성곡'이라고 하는데, 위성의 객사에서 하룻밤을 묵고 나서 사신이 되어 안서(安西) 지방으로 떠나는 친구 원이(元二)와 헤어지면서 읊은 유명한 이별가(離別歌)이다.
56 '저지반절(低枝攀折)'은 '유지반절(柳枝攀折)'에서 온 말로 이별을 뜻한다. 버드나무 가지를 꺾어 주며 이별의 아쉬운 정을 노래한 시에 당나라 때 양거원(楊巨源)의 「절 양류곡(折楊柳曲)」이 있다.
57 건거(巾車)는 베나 비단 따위로 막(幕)을 쳐서 꾸민 수레인데, 아이들이 수레를 뒤따르는 모습을 말한 것이다.
58 교교(皎皎)는 깨끗하다. 하얗다는 뜻이다. 깨끗한 모래사장을 말하고 있다.
59 '위천천상로(渭川川上老)'는 강태공(姜太公) 여상(呂尙)을 가리킨다. 강태공은 위수 (渭水)에서 낚시질하다가 문왕(文王)의 부름을 받고 나가서 주나라의 기틀을 다졌다. 그러자 함께 놀던 새와 물고기들이 떠나 버린 강태공을 원망하였다는 말이다.
60 석천 임억령(林億齡, 1496~1568)이 하서 김인후의 「풍영정십영(諷詠亭十詠)」 시에 차운한 작품인데, 「칠계십영(漆溪十詠)」으로도 부르고 있다.

次圭庵風詠亭韻 敬呈
漆溪先生

可行行又可休休
得來爲欣失意愁
白日煙霞生瑞石
青春鷗鷺樂平洲
浴歸詠處風光至
醉欲眠時客不留
坐想湖山無盡藏
幾人佳句動千秋

次
豊基郡守周世鵬景遊

屋漏田憶我舊耕洲欲歸
陶令稍雜玄恩退錢云尙自
黑日相逢雜俱可訓年々盧員好
春秋
弘文館應敎眞城李滉景浩

규암의 풍영정 시에 차운하며, 삼가 칠계 선생께 드리다

次圭庵風詠亭韻 敬呈漆溪先生

부지런히 일하다가 쉬는 여가 이용하여	可行行又可休休
이 누정에 올라오니 모든 근심 없어지네	得來爲欣失意愁
한낮의 연기 안개 서석산에 서려 있고	白日煙霞生瑞石
봄을 맞은 기러기 떼 평주 위에 즐겨 노네	青春鷗鷺樂平洲
욕귀하며 읊은 곳에 맑은 풍광 가득하고	浴歸詠處風光至
술에 취해 잠을 자니 손님들은 떠나가네	醉欲眠時客不留
무진장한 이 호산을 홀로 앉아 생각하니[61]	坐想湖山無盡藏
몇 사람의 좋은 시구 천추까지 전하는지	幾人佳句動千秋

풍기군수 경유 주세붕이 쓰다[62] 豊基郡守 周世鵬景遊

이어서

次

세상사 소란하여 잠시도 쉴 수가 없어서	風塵擾擾不能休
가슴속에 응어리진 걱정 차곡차곡 쌓이네[63]	纍積胸中萬斛愁
고향에 새롭게 집 짓는 그대에게 감동되어	枌社感君新結屋
물가 밭은 내가 옛날 밭 갈던 일 생각나네	湖田憶我舊耕洲
도연명처럼 돌아가고 싶어도 떠나가기 어렵고[64]	欲歸陶令猶難去
전공처럼 물러남 생각하지만 늘 머무르고 있네[65]	思退錢公常自留
다른 날 서로 만나면 꾸짖을 법하니	異日相逢俱可罰
해마다 좋은 봄가을을 헛되이 저버렸다고	年年虛負好春秋

홍문관응교 진성 경호 이황[66] 弘文館應敎 眞城李滉景浩

61 무진장(無盡藏)은 양적 질적으로 엄청나게 많은 것을 나타내는 말이다. 다함이 없다
　 는 말로, 산천의 아름다움을 표현하는 말이다.
62 주세붕(周世鵬, 1495~1554)의 자는 경유(景游)이다. 그는 1541년에 풍기군수(豊基
　 郡守)가 된 후 1543년에 주자(朱子)의 백록동서원(白鹿洞書院)을 모방하여 우리나라
　 최초의 서원인 백운동서원(白雲洞書院)을 건립하고 안향(安珦, 1243~1306)을 배향
　 하였다. 위 현판은 김언거·주세붕·이황의 친밀한 관계를 보여주고 있다. 이 시도 규
　 암 송인수가 풍영정에서 김언거에게 시를 썼던 7언 율시의 압운 '休·愁·洲·留·秋'에
　 맞추어 쓴 작품들이다.
63 벽적(襞積)은 옷의 폭 따위를 접어서 줄이 지게 한 것.
64 도연명(陶淵明)은 은퇴하여 집 문 앞에 버드나무 다섯 그루를 심어 놓고 스스로를 오
　 류선생(五柳先生)이라 불렸다.
65 전공(錢公)은 송나라 때의 학자 전공보(錢公輔)를 가리키는 말이다. 의전(義田)을 만
　 들어 물러남을 칭송하는 글도 있다.
66 이황(李滉, 1501~1570)의 자는 경호(景浩)이고 호는 퇴계(退溪)이다. 진성(眞城)은
　 본관으로 안동을 가리키는 말이다. 퇴계는 이 시 외에도「차칠계십영운」이라는「풍영
　 정십영」시를 남겼는데, 그 현판이 걸려 있다.

遊山覊客不能休偶
到仙滄一散愁風約
林梢呈遠野煙開波
浪露長洲塵埃只恨
三山隔樽酒何妨半
日留人事悠悠難自
了故應來賞待高秋
高峯奇大升

이어서
次

산을 즐기는 이 나그네 쉴 사이 없었는데	遊山覊客不能休
우연히 선창산에 올라 모든 시름을 풀었네	偶到仙滄一散愁
바람은 숲을 지나 먼 들판으로 나아가고	風約林梢呈遠野
안개는 물결에 걷혀 모래섬이 드러나네	煙開波浪露長洲
풍진 속에 삼신산이 막히니 한스러울 뿐이지만	塵埃只恨三山隔
동이 술에 반나절 머무름이 어떠하리	樽酒何妨半日留
사람의 일이란 스스로 하기 어려우나	人事悠悠難自了

응당 와서 감상할 높은 가을 하늘 기다려야지   故應來賞待高秋

고봉 기대승[67] 高峰 奇大升

---

67 고봉은 기대승(奇大升, 1527~1572)의 호이다. 16세기 호남의 학자이자 문인이다. 퇴계 이황과의 서신 교환을 통하여 조선유학사에 지대한 영향을 미친 사칠논변 (四七論辨)을 전개한 일이 유명하다. 저서로 『고봉집(高峯集)』이 있다.

풍영정, 벽에 걸린 시에 차운하여 주인에게 보이다.

風詠亭 次壁上韻 示主人

좋은 날 맑은 술 취하면 그만 마시니[68]	勝日淸尊醉卽休
그대를 대하면 시름겨운 것이 없어라	對君無地可言愁
의연히 길은 복사꽃 핀 동네로 들어가고	依然路入桃花洞
홀연 시는 방초 우거진 물가에서 이루어지네	忽復詩成芳草洲
세상에서 늘 움츠린 신세 스스로 가련하니	塵土自憐長局促
여기 올라 조금 머문들 무엇을 아끼랴	登臨何惜少遲留
세상의 좋은 모임이란 원래 이루기 어려운 법	世間好會元難剋
더구나 내 인생 머리털이 센 것 어찌 견딜까	更耐吾生鬢已秋

만력 기유(1609년) 중춘 석주[69]   萬歷 己酉仲春 石洲

옛날을 생각하니 남주 땅에 전쟁 그치지 않아   憶昨南州戰不休

곳곳마다 폐허되어 근심 속에 살았구나   荒墟到處摠堪愁

부럽게도 그대의 정자는 삼세까지 전해 오니   羨君卜築傳三世

예처럼 바람과 안개가 물가를 감싸고 있네   依舊風煙護一洲

처마에는 송뢰 소리 산비가 지나가니   松籟嘯簷山雨過

정원 위 대숲에는 들새들이 모여드네   竹陰籠砌野禽留

부들방석 위에 둘러앉아 한거 뜻을 들어보니   蒲團聽說閑居味

넓은 이랑 황운 속에 가을보리 누렇구나   十頃黃雲大麥秋

백 년의 인생 계책에 '사의휴'가 있는데[70]   百年身計四宜休

태수가 되어 남쪽에 오니 만 가지 걱정이네[71]   五馬南來萬種愁

우연히 옛 누정에 올라 먼 산 바라보니   偶上古亭臨遠岫

또다시 새로운 들이 긴 물가에 뻗어 있네   却思新墅枕長洲

마름과 연은 백로와 서로 마주하여 있는데[72]   芰荷對立碧鸂鶒

버들에서는 한 쌍의 꾀꼬리 지저귀고 있구나   楊柳雙鳴黃栗留

바로 관직을 버리려고 만기를 기다리지 않고   直欲拋官不待滿

광릉으로 돌아가면 국화 피는 가을이겠지[73]   廣陵歸趁菊花秋

동악 만력경술(1610년) 초여름 16일[74]   東嶽 萬曆庚戌 孟夏旣望

68 승일(勝日)은 좋은 날을 의미한다.

69 석주는 권필(權韠, 1569~1612)의 호이다. 저서에는 『석주집(石洲集)』과 한문소설 「주생전(周生傳)」 등이 있다. 위 현판은 석주 권필과 동악 이안눌의 시다. 석주와 동악은 친한 벗 사이인데, 전라도 지방을 기행하고 남긴 시들이 많다.

70 사의휴(四宜休)는 송나라의 손방(孫昉)이 말한 것으로. 배부르면 물러나 쉬어야 하고, 따스하면 물러나 쉬어야 하고, 지나쳤으면 물러나 쉬어야 하고, 늙었으면 물러나 쉬어야 하는 법이라는 말이다. 손방은 사휴정(四休亭)이라는 정자를 짓고서 물러나 쉬었다고 한다.

71 오마(五馬)는 한(漢)나라 때 태수(太守)가 다섯 필의 말을 탔던 고사에서 유래하여 태수의 별칭이다. 흔히 관리를 가리킨다.

72 벽계(碧繼)는 당나라 유도(劉憲)의 『수훤록(樹萱錄)』에 다음과 같은 이야기기 실려 있다. "섬계(剡溪) 사람 태부 가의(賈誼)가 경호(鏡湖)에서 두 노인을 만나 이야기를 나누었는데, 한 사람은 벽계옹(碧繼翁)이고 또 한 사람은 황서수(篁棲叟)였다. 그들과 함께 시를 읊조리며 놀다가 가의가 문득 일어나 읍을 하자, 두 늙은이는 백로로 변하여 날아갔다." 이후로 벽계옹과 황서수는 백로의 별칭이 되었다.

73 진나라 사람 장한은 가을바람이 불자 벼슬을 버리고 고향인 광릉으로 돌아갔다는 말이다. 흔히 고향으로 돌아감을 가리키는 말이다.

74 동악은 이안눌(李安訥, 1571~1637)의 호이다. 조선시대 문신으로 시로 이름을 날렸는데 4천 수 이상의 시가 남아 있다. 1610년에 담양부사가 되어 무등산권을 여행하기도 하였다. 이 시의 원제목은 '풍영정. 벽에 걸린 시에 차운하다. 정자는 광주 북녘 선창리에 있는데, 판교 김언거의 집이다. 공의 서자 광부와 손자 치원 등이 그때 정자 아래에서 살았다(風詠亭, 次壁上韻, 亭在光州北仙滄里, 故判校金公彦琚之宅也. 公之庶子光符及孫致遠等, 時居亭下).'라고 하였다. 또 '호남 일도가 정유년에 왜적과 전쟁을 치르면서, 시골에서 울타리 치며 살게 되었다. 모두 폐허가 되었는데, 풍영의 옛 정자만 높이 솟아서 홀로 우뚝하다(湖南一道, 自經丁酉倭賊兵火. 村舍籬落, 盡爲丘墟, 風詠古亭, 巋然獨存故云).'고 하였다.

풍영정 시에 차운하다

次風詠亭韻

돌아가 쉬려 했지만 돌아가 쉬지 못하는데 　　設歸休者未歸休

공처럼 초연히 누우면 무슨 근심 있을까 　　高臥如公有底愁

그는 한가함을 얻어 구름과 물에 벗하고[75] 　　判得閑身占雲水

우리의 도를 창주에다 붙였구나[76] 　　任敎吾道付滄洲

살대 사이 가는 비에 고기 어망 거두었고 　　蒹葭細雨收魚網

버들가지 가는 바람 꾀꼬리 소리 들려오네[77] 　　楊柳微風聽栗留

도산에서 전하는 말 마땅히 수긍하리니[78] 　　傳語陶山應首肯

이제부터 좋은 봄가을을 저버리지 않아야지 　　從今不負好春秋

128 풍영정

제봉 고경명 고[79] 霽峰 高敬命 稿

---

75 판(判)은 승문원 판교(判校)를 역임한 풍영정 주인 김언거를 가리키는 말이다.

76 창주(滄洲)는 '푸른 물가'라는 말인데, 은자(隱者)가 사는 곳을 말하기도 한다.

77 율류(栗留)는 원래 황률류(黃栗留)로 꾀꼬리의 별칭이다.

78 '도산에서 전하는 말'이란 앞에 나오는 퇴계 이황의 시구를 가리킨다. '다른 날 서로 만나면 꾸짖을 법하니(異日相逢俱可罰) 해마다 좋은 봄가을을 헛되이 저버렸다고(年年虛負好春秋)'라는 말이다.

79 제봉 고경명(高敬命, 1533~1592)은 조선 중기 문신이자 의병장이다. 또한 시에 뛰어났으며 문집으로 『제봉집(霽峰集)』을 비롯하여, 유명한 무등산 유산기인 『유서석록(遊瑞石錄)』을 남기기도 하였다. 고(稿)는 원고라는 말이다.

次韻
誅茅結舍得純休
四顧青山總割愁
靜夜開窓迎皓月
暮春成服向芳洲
看書足共賓朋話
投轄非關杯酒留
更有心期相契許
黃花綠竹耐深秋
丙午秋暮眉巖居士拜

운을 이어서
次韻

띠를 베어 집을 지어 오로지 휴식을 취하니   誅茅結舍得純休
사방이 청산이라서 모든 시름 사라지네   四顧青山總割愁
고요한 밤에 창을 열어 밝은 달을 맞이하고   靜夜開窓迎皓月
늦은 봄에는 봄옷 입고 물가로 향한다네   暮春成服向芳洲
책을 보며 벗들과 함께 이야기도 나누면서   看書足供賓朋話
빗장을 빼건 말건 술 마시며 머문다네[80]   投轄非關杯酒留
다시 만날 마음 있기에 서로 약속을 맺어   更有心期相契許
노란 국화 푸른 대가 깊은 가을 견디고 있네   黃花綠竹耐深秋

병오년(1546) 늦가을 미암거사 절하고 쓰다[81] 丙午秋暮 眉巖居士拜

---

80 투할이란 수레의 빗장[轄]을 던져 버려[投] 손님을 못 돌아가게 한다는 말이다. 흔히
친구를 더 놀다가도록 붙잡는다는 말이다.

81 미암은 유희춘(柳希春, 1513~1577)의 호이다. 조선 중기 문신으로 시문집 『미암집
(眉巖集)』이 있고, 우리나라의 대표적인 개인일기인 유명한 『미암일기(眉巖日記)』도
남겼다.

이어서 세 수
한음 이덕형 영의정[82]

次三首 漢陰 李德馨 領相

말안장 풀어헤치고 십 일간을 쉬게 되니 　　　偶解征鞍十日休

하늘도 좋은 일이라고 이내 근심 덜어주네 　　天公好事慰閒愁

먼 산은 비 오는 듯 구름 속에 묻혔는데 　　　遙山雨暗雲埋野

난간 위에 강은 밝아 모래섬에 달빛 가득 　　虛檻江明月滿洲

즐겁게 노닐며 좋은 경치 많이 보았지만 　　方信勝遊多賞玩

잠깐 머무르곤 빚을 청산했다 말하지 말라[83] 　莫言清債少分留

누정의 편액 보며 우주 간에 높이 읊으니 　　高吟宇宙看亭扁

거문고 내려놓던 풍류 몇 해나 지났던가[84]   舍瑟風流度幾秋

---

82 한음 이덕형(李德馨, 1561~1613)은 조선 중기 문신으로 영의정에 올랐으며, 시문집
『한음문고(漢陰文稿)』가 있다. 위 현판은 한음이 풍영정에서 읊은 시에 차운했던 세
수 중에 첫 번째 시이다.
83 청채(淸債)는 빚을 청산(淸算)하여 깨끗이 갚음을 말한다.
84 거문고를 내려놓는다[舍瑟]는 말은 흔히 밝은 풍류를 가리키는 말이다. 공자기 일찍
이 제자들에게 각자의 포부를 물었을 때 모두들 정치에 관심을 두었으나, 제자 증점
(曾點)은 연주하던 거문고를 내려놓고 '바람을 맞으며 시를 읊으며 돌아오겠다(風詠
而歸).'라고 말하였던 데서 유래하였다.

쉴 만한 곳에서는 편히 쉬기도 좋아서	可休休處好休休
오리와 학 함께 노니는 곳 쌓인 근심 버린다네	鳧鶴俱懷斷續愁
구름은 무심하게 산봉우리 걸쳐 있고	雲却無心橫遠嶺
풀들은 파릇파릇 아름다운 물가 가득하네	草多生意滿芳洲
사령운이 산수를 좋아했던 까닭을 알겠고[85]	極知靈運耽山水
또 도연명은 마음대로 가고 머물렀다지[86]	還有淵明任去留
아침저녁 증점이 거문고 뜯고 목욕한 기수인데	早晚浴沂鏗點瑟
꽃과 달을 뒤로하고 세월을 저버렸구나	肯敎花月負春秋

의정부 좌찬성 소세양[87]   議政府 左贊成 蘇世讓

덧없는 세상 사노라면 죽어야지 쉰다는데　　　　浮世經營死便休
평생토록 깊은 근심 어디에서 풀 수 있나　　　　百年何地散幽愁
좋은 술은 없어도 높은 누정에 오르니　　　　　　未携綠醑高亭上
봄바람 불면 방초주를 얼마나 그렸던가　　　　　幾夢春風芳草洲
거문고 놓아두고 증점처럼 읊을 수 있어도　　　　捨瑟定成曾點詠
가슴을 열어 공자 머무는 것과 같진 않으리　　　開襟不似仲宣留
거닐면서 일찍이 편안한 분수를 알았는데　　　　逍遙早已知安分
늦으막 귀향 꿈꾸지만 벌써 가을이 되었네[88]　計晚蓴鱸却爲秋

영경연 영성부원군 신광한[89]　領經筵靈城府院君 申光漢

이미 말년이 다가오지만 쉴 수도 없어서[90]　　已迫桑榆未辦休
눈썹 머리맡은 날마다 시름에 잠겨 있네　　　　眉頭日日鎖閑愁
피로한 말 안타까워서 내가 나무 그늘 찾았더니　倦飛憐我方尋樹
작은 누정 훌륭하여 바로 물가에 의지하였구나　小築多君正倚洲
목욕을 하기에는 늦은 봄이 좋다고 하는데　　　澡浴但當三月暮
바람을 타고 가서 어찌 보름을 머물러야 하나[91]　御風安用五旬留
성인의 문하 그 기상이 끊어지려 하는데　　　　聖門氣象嗟寥絕
흥취를 푼 일은 지금껏 얼마나 이어졌을까[92]　遺興于今嗣幾秋

홍문관 대제학 정사룡[93]　弘文館 大提學 鄭士龍

85 사령운(謝靈運)은 중국 남북조시대의 산수시인(山水詩人)이다.

86 도연명(陶淵明)은 중국 동진시대의 전원시인(田園詩人)이다.

87 소세양(蘇世讓, 1486~1562)의 호는 양곡(陽谷)이다. 조선 전기의 문신으로 저서에 『양곡집(陽谷集)』이 있다. 위 현판은 양곡 소세양(陽谷 蘇世讓)·낙봉 신광한(駱峰 申光漢)·호음 정사룡(湖陰 鄭士龍)의 풍영정 시이다.

88 순채와 농어[순로(蓴鱸)]를 꿈꾼다는 것은 관직을 버리고 고향에 돌아가는 것을 뜻한다.

89 신광한(申光漢, 1484~1555)의 호는 낙봉(駱峰)·기재(企齋)이다. 조선 전기의 문신으로 이조판서, 대제학 등을 역임하였다. 저서에 『기재집(企齋集)』이 있다.

90 상유(桑楡)는 서쪽의 해가 지는 곳으로 저녁을 가리킨다. 인생의 말년을 가리키는 말이다.

91 『장자(莊子)』에서 열자(列子)에 대해 한 말에서 왔다. "저 열자는 바람을 타고 가서 즐겁게 하늘을 날아다니다가 15일이 지난 후에는 땅 위로 돌아온다(夫列子御風而行, 泠然善也, 旬有五日而後反)." 하늘의 신선처럼 바람타고 하늘로 갈 것이 아니라, 물가에서 목욕을 하고 시를 읊조리는 풍영(諷詠)이 더 좋다고 하는 말이다.

92 유흥(遺興)은 흥이 일다, 흥취를 풀다는 뜻이다.

93 정사룡(鄭士龍, 1491~1570)의 호는 호음(湖陰)이다. 조선 전기 문신으로 홍문관 대제학을 하였으며, 저서에 『호음잡고』, 『조천록』 등이 있다. 이 시는 『호음잡고』에 있는데, 제목은 '계진 그대를 상주로 보내면서(送季珍使君赴尙州)'로 두 수 중에 두 번째 시이다.

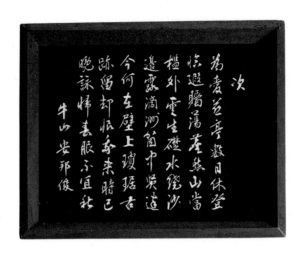

이어서

次

이 정자를 사랑하여 수일동안 쉬면서   爲愛玆亭數日休

올라와서 멀리 바라보니 속세의 근심 씻어지네   登臨遐矚蕩塵愁

산은 난간 밖에 닿았고 구름은 주춧돌에서 이는데   山當檻外雲生礎

물은 모래사장 두르고 이슬은 모래섬에 내리네   水繞沙邊露滴洲

그중에 현달한 분들은 지금 어디에 계시는지   箇中賢達今何在

벽에 걸린 주옥같은 시구만 옛 자취로 남아 있네[94]   壁上瓊琚古跡留

도리어 내가 너무 늦게 온 것이 한이 되니   却恨我來時已晚

봄옷 입고 시 읊는 일은 가을에는 안 맞는다네   詠歸春服不宜秋

우산 안방준⁹⁵ 牛山 安邦俊

---

94 경거(瓊琚)의 원래 의미는 아름다운 옥으로 만든 패옥(佩玉)이다. 나중에 의미가 확
대되어 남이 보내온 시문(詩文)의 미칭(美稱)으로도 쓰인다. 여기서는 풍영정에 걸
려 있는 시문들을 가리키는 말이다.

95 안방준(安邦俊, 1573~1654)의 호는 은봉(隱峰)·우산(牛山)이다. 저서에 『은봉전서
(隱峯全書)』가 있다.

삼가 이어서

謹次

말 안장 지우고 수고로워도 잠시도 쉬지 못하다	鞍馬勞勞不暫休
이름난 누정에 한 번 오르니 나그네 시름 사라지네	名亭一上豁羈愁
산들은 읍을 하듯 넓은 들을 에워싸고	崗巒拱揖圍平野
두루미 해오라기 빙빙 돌다 먼 물가에 내리네	鶴鷺翔回下遠洲
유달리 멋진 풍경을 모두 다 보았으니	殊絕風煙都領畧
단란한 술자리 시를 읊으며 오래 머무른다네	團欒觴詠永故淹留
'무우'라도 꼭 이보다 나을 수 없으니[96]	未必舞雩能勝此
이 좋은 때 또 더욱이 맑은 가을이라니	佳辰又況屬淸秋

반계 유형원⁹⁷ 磻溪 柳馨遠

이어서
次

수레 타고 달리다가 누정 위에 쉬어 보니	征鞍偶向野亭休
만곡으로 쌓인 근심 속절없이 사라지네[98]	坐失膏中萬斛愁
해 질 무렵 찬 빛은 문으로 스며들고	落日水光寒入戶
거친 들의 풀빛은 모래섬에 가늘게 뻗어 있네	平蕪草色細分洲
선인들이 가신 후 강산만 남아 있고	仙人去後江山在
시구들 지을 당시 이름만 남아 있네	詩句題時姓字留
오고 가는 많은 길손 모두 머무르면서[99]	多少往來俱逆旅
몇 번이나 유상하며 봄가을을 즐겼을까	幾回遊賞閱春秋

오천 정홍명¹⁰⁰ 烏川 鄭弘溟

---

98 만곡(萬斛)은 아주 많은 분량을 가리킨다.
99 역려(逆旅)는 머무른다는 말인데, 여관 같은 여행자가 머무는 장소를 가리키기도 한다.
100 정홍명(鄭弘溟, 1582~1650)의 호는 기암(畸庵)이다. 저서로『기옹집(畸翁集)』·『기 옹만필(畸翁漫筆)』등이 있다. 송강 정철의 아들이며, 17세기 무등산권 문인으로 많 은 한시문을 남기고 있다. 오천(烏川)은 영일(迎日)의 옛 이름으로 영일 정씨라는 뜻이다.

광주문화재단 누정총서 **7**

풍영정

초판 1쇄 찍은 날 2019년 11월 11일
초판 1쇄 펴낸 날 2019년 11월 20일

글 박성천
현판 번역 김대현
여행 길잡이 전고필
사진 인춘교

펴낸곳 (재)광주광역시 광주문화재단
펴낸이 김윤기
발행부서 (재)광주광역시 광주문화재단 전통문화관 무등사업팀
　　　　61493 광주광역시 동구 의재로 222
　　　　전화 062-232-2152

만든곳 도서출판 심미안
주소 61489 광주광역시 동구 천변우로 487(학동) 2층
전화 062-651-6968
팩스 062-651-9690
메일 simmian21@hanmail.net
블로그 blog.naver.com/munhakdlesimmian
등록 2003년 3월 13일 제05-01-0268호

값 10,000원
ISBN 978-89-6381-300-4　04900
ISBN 978-89-6381-296-0　(SET)